Vies et légendes
de Jacques Lacan

Jacques-Marie Lacan : le plus célèbre, mais aussi le plus contro-versé des psychanalystes français contemporains. Dont la dispari-tion n'a rien atténué des passions qu'il suscitait de son vivant. Sur son œuvre flotte toujours un délicieux parfum de scandale et, entre les propos féroces de ses détracteurs opiniâtres et les commentaires louangeurs de ses disciples zélés, on s'y perd. A-t-il été un illusion-niste du verbe, un fumiste talentueux, un joyeux aigrefin du concept, ou au contraire un novateur génial qui, le premier, a su renouer avec le travail de Freud, l'approfondir et lui donner une extension véritable ? A-t-il été un pédant illisible, camouflant la pauvreté de sa réflexion derrière une sophistication prétentieuse du langage, ou un penseur lumineux qui usait avec subtilité des moindres ressources de la langue française ? A-t-il été ce « pitoyable et magnifique Arlequin » qu'a dit Althusser, ou bien le nouveau Socrate que vantent ses habituels laudateurs ? Allez savoir... Si l'on s'en tient à la rumeur, il a été tout et rien à la fois. Bref, on n'est pas plus avancé.

D'où l'intérêt du travail de Catherine Clément. *Vies et Légendes de Jacques Lacan* se place résolument hors du débat touchant au person-nage, modèle typique des discussions stériles et vaines, pour ne prendre en compte que le meilleur de l'œuvre : l'enseignement-Lacan, délivré durant des années dans le cadre des *Séminaires*. Ce qui revient à effectuer une formidable revue de paquetage, car l'enseignement-Lacan recoupe tout l'homme. Aussi bien son itiné-raire, que ses recherches, ses aventures, ses trouvailles, ses brico-lages, ses expériences, que les leçons qu'il tire, les hypothèses qu'il propose, ou les jeux qu'il invente. Autant de vies qui ont dérouté ceux qui l'ont approché, autant de légendes qui ont contribué à tra-vestir une parole que l'on découvre simple, claire et transparente, et dont Catherine Clément est l'un des rares exégètes à nous resti-tuer la teneur sans recourir à des exposés techniques fastidieux, ni à ce jargon dévastateur parfois utilisé par les psychanalystes en mal d'obscurantisme.

Alors Lacan selon Catherine Clément ? Finalement, le vrai bonheur d'une découverte. Un penseur et son œuvre aperçus tels qu'ils sont et racontés tels qu'en eux-mêmes : comme un défilé remarquable d'innombrables histoires. Des histoires d'amour, d'abord. Celle qui va se nouer entre le psychanalyste, qui ouvre séminaire à l'hôpital Sainte-Anne, et ses premiers auditeurs. Parmi lesquels Catherine Clément, à l'aube des années 60. Ecoute

(Suite au verso.)

fascinée d'une parole qui s'invente au fil des semaines. Et un charme qui agit. A travers justement la manipulation d'une langue apparemment difficile. Mais pour une fois les mots ne s'envolent plus. Ils s'arrêtent, s'installent dans les têtes, marquent les cervelles et poussent à la rumination. Le langage n'est plus seulement l'instrument qui permet la transmission d'un message. Avec Lacan il assume une autre vocation : faire penser.

Ce n'est pas tout. L'amour de la langue se double encore d'un autre amour : celui de la culture. Un retour aux sources. Un retour à Freud. Avant que ne se soit exercé le grand laminage américain qui, après la guerre, avait rendu les psychanalystes analphabètes. Lacan, lui, a retenu l'héritage. Ses exposés fourmillent de références littéraires, philosophiques, ethnologiques, etc. Ils excitent la curiosité, ils invitent à la recherche. Lacan est un éveilleur, comme Freud le fut avant lui.

Dernier amour enfin, tortueux et compliqué : celui qui rend possible l'impossible : la transmission du savoir psychanalytique. Ce savoir qui ne ressemble à aucun autre, qui ne peut être consigné dans les livres et que l'on ne peut pas non plus théoriser. Ce savoir qui est un « savoir écouter », que Reik appelait « la troisième oreille ». Par définition inenseignable. Voilà donc la raison d'être de l'amour : instituer entre maître et disciples un système d'affinités, c'est-à-dire permettre des échanges hors parole. Très exactement, explique Catherine Clément, le principe de l'*initiation* que l'on trouve dans les sociétés archaïques. Lacan est un sorcier. Le premier qui ait clairement compris que la psychanalyse se transmettait selon un mode archaïque.

Et puis il y a les autres histoires. Les histoires de femmes par exemple. Ce mythe tenace d'un Lacan misogyne, soigneusement démonté par l'habile ouvrière et vidé comme une baudruche. Misogyne Lacan ? Allons donc. Non, ce qu'il combat c'est au contraire ce qui nie les femmes, cette idée qu'il existerait « une Femme immémoriale, éternelle, immuable, moitié d'un Tout dont l'homme serait le Centre ». Et il y a aussi l'histoire de l'analyste et de sa pratique. Pour Lacan le problème des séances écourtées, des sommes d'argent réclamées, de l'attitude trop passive de l'analyste, etc. Une fois de plus des clichés, dont Catherine Clément instruit le procès, et qui s'avèrent en fin de compte de mauvaises querelles. Enfin il y a des histoires de jeux. Le jeu comme pédagogie. Apprendre en s'amusant. Et Lacan est expert en la matière. Selon Catherine Clément on peut déchiffrer toute son œuvre à partir de deux figures ludiques élémentaires : les quatre coins et la marelle. Résultat : si vous désirez vous y retrouver dans le système du délire, dans le fonctionnement de l'appareil psychique, dans la façon dont se forme la personnalité de l'enfant ou dans la structure des relations entre les individus, commencez par apprendre les règles de ces deux jeux. Ensuite vous comprendrez tout. Lacan, bien sûr, mais aussi l'inconscient.

CATHERINE CLÉMENT

Vies et légendes de Jacques Lacan

ÉDITION REVUE ET CORRIGÉE

GRASSET

ŒUVRE DE CATHERINE CLÉMENT

Dans Le Livre de Poche :

LA SULTANE.

Pour Jacques-Alain Miller,
Michel Pêcheux et François Regnault.

« *Vous croyez que je suis venu pour jouer avec vous, et je suis venu pour brouiller le jeu. Vous croyez que je triche parce que vous croyez que je joue avec vous, et vous ne voyez pas que je ne joue pas avec vous. Quand vous pensiez me tenir, et que c'est moi qui vous saute sur le dos, je ne l'ai pas fait exprès. Éternellement je vous échappe, et je ne le fais pas exprès. Vous ne me cherchez ni où je suis, ni quand j'y suis, ni où je vais. Je gagne à tous les coups, et si je perds c'est pour varier un peu. Comme la flamme folle d'elle-même, je rampe puis je m'élève puis je rentre dans ma cendre, d'où je m'envolerai de nouveau à volonté. Je meurs, sachant quand je ressusciterai. Et pourtant en mourant je saigne ; mais vous ne voyez pas le sang ; et quand je ne saignais pas vous le voyiez.* »

Montherlant,
Le Génie et les fumisteries du Divin.

ÉCOUTE, BÛCHERON,
ARRÊTE UN PEU LE BRAS...

En 1899, Freud, qui publiait *La Science des rêves* et savait que ce serait là l'ouvrage fondateur de la psychanalyse, décida de la dater de 1900, anticipant de quelques mois le siècle qui commençait, le nôtre. L'année suivante naissait en France Jacques Lacan.

Un jour, à soixante-dix-neuf ans, il décida de dissoudre son école de psychanalyse, qu'il avait lui-même fondée, et qui était l'une de ses fiertés. Autour de sa vieillesse s'était nouée une histoire fiévreuse, où se marquait à l'évidence l'angoisse de ses disciples. Il était alors le plus illustre des psychanalystes français ; il avait derrière lui une œuvre, un enseignement, un nom qu'il s'était forgé, des amours, et des haines. Mais ses disciples s'inquiétaient : comment survivre au maître, quand celui-ci va disparaître ? Leur agitation, leur frénésie les poussa à l'adoration conservatrice de la théorie de Lacan, jusqu'au moindre de ses mots ; comme si le pauvre homme n'avait le droit que de parler d'or. Et ils déplorèrent en sourdine l'âge qui venait, et commençait de se voir. Jusqu'au jour où le vieil homme les secoua tous, d'un geste furieux, et éparpilla l'essaim qui bourdonnait autour de lui, comme on chasse les mouches. L'opinion publique, qui ne connaissait guère Lacan que de nom, et qui n'entendait goutte à une théorie furieusement tenue secrète sur le mode de l'ésotérisme le plus traditionnel, s'intéressa fort à la chose. Comme si elle comprenait confusément qu'il y allait d'une lutte avec la mort, avec la vie ; avec la survie.

Car c'était de cela aussi qu'il s'agissait. Lacan défendait sa peau. Il se libérait de quelques vieilles peaux abandonnées, comme il fit toute sa vie ; et il défendait l'essentiel. La peau de sa gloire, qu'il n'allait pas laisser ternir par ceux qui le baptisaient « vieux » ; la peau de son œuvre qui s'en allait par bribes sous les coups de ceux qui la répétaient trop, mal, et qui la discréditaient depuis longtemps. J'eus envie alors de leur dire, à eux et à tous ceux qui se gaussaient du vieil homme, ce qu'autrefois Ronsard disait au bûcheron de la forêt de Gastine :

Ce ne sont pas des bois que tu jettes à bas
Ne vois-tu pas le sang, lequel dégoutte à force
Des nymphes qui vivaient dessous la dure écorce ?

On ne met pas à mort un penseur. Il survit à ses adorateurs. Non parce qu'il est un maître, oh non... Qu'y a-t-il de plus meurtrier que ces disciples attachés à l'immortalisation d'un Lacan qui n'aura cessé de leur dire qu'il n'était pas leur maître, et qu'il ne voulait pas de leur adoration ? On ne met pas à mort un maître, s'il a réellement pensé. De quelque façon que se termine sa vie, que ce soit dans la vieillesse, l'accident, le suicide, la folie ou le crime, la pensée aura été vivante ; elle demeurera. Malgré les disciples ; malgré elle.

Vies et légendes de Jacques Lacan : j'ai voulu faire œuvre sacrilège. Parler de Lacan comme si sa vieillesse n'était plus en cause. Dépasser la vie et la mort de cet homme, et le traiter comme je l'ai toujours senti : en shaman, en sorcier habité par la poésie et l'inspiration, au moins autant que par la rigidité d'une théorie fondatrice qui sans nul doute fut aussi son projet. J'ai voulu anticiper l'histoire, et pouvoir l'entourer, non sans ten-

10

dresse, de tous les temps de notre grammaire. Les temps du passé, celui que l'on dit simple, le plus-que-parfait, l'imparfait si bien nommé, et le futur antérieur qui achève le destin en lui laissant encore la chance de l'avenir. Lacan shaman frôle l'immortalité ; ce fantasme, on le trouve dans sa pensée, l'une des plus fortes et les plus méconnues de ce temps. D'autant plus méconnue, cette pensée, que la rumeur l'aura véhiculée comme une mode, un jargon, une parodie.

Vies et légendes de Jacques Lacan : pour que le dernier vers du poème de Ronsard trouve aussi, dans son histoire, sa place :

« *La matière demeure et la forme se perd.* »

La première édition de ce livre parut au début de l'an 1981.

· *Neuf mois plus tard, le 9 septembre, Jacques Lacan avait cessé de vivre.*

Physiquement, du moins.

CHAPITRE PREMIER

PLAISIRS D'AMOUR

... Ne durent qu'un moment, ou la fascination du séminaire. Lacan chrétien contre Freud juif. Le style d'un poète et l'allure d'un shaman. Le squelette de fer.

1. *Printemps 1980*

Au printemps 1980, parut un numéro d'*Actuel* consacré aux aventures de Jacques Lacan, psychanalyste.

Ma fille a lu ; elle a trouvé cela « super ».

Là, sur la couverture du magazine, il y avait un bonhomme en blazer rayé bleu et blanc, le bras tendu dans un geste de colère, cassant une pile d'assiettes. L'air furibond, l'œil dément, la bouche grande ouverte. Et sur tous les dessins qui accompagnaient *Les Aventures de Jacques Lacan, psychanalyste* — de très chics dessins rétro dans le style à sensation — le même bonhomme comptait des billets de banque, se roulait par terre, cassait encore, toujours la bouche ouverte... Il paraît que c'était Lacan.

Sur les photographies, d'habitude, il avait l'air d'un bon

diable. Digne, le cheveu dru, le regard lisse comme un mur et la bouche fermée, lui qui aimait tant parler. Derrière lui, souvent, l'éternel tableau noir se couvrait de cercles, de traits, de symboles mathématiques. Rares photographies, lui ressemblant comme de vieux portraits familiaux ressemblent mal à l'ancêtre disparu, anachronique. Figées, hiératiques, belles. Il n'aimait pas les photographies.

Ma fille a donc trouvé cela « super ». Elle connaissait Lacan par une mythologie familière, celle dont parlent les parents. Un ami de la famille, peut-être ? Un nom qui lui revenait aux oreilles. En 1980, elle a quinze ans. Rien ne saurait l'atteindre ; elle est aussi lisse que Lacan sur les photographies. L'histoire a tourné ses pages, les siennes, les miennes ; celles des autres.

1974-1980 : le monde nous échappait. Les enterrements passaient comme muscade. Marx était mort, depuis longtemps ; de pieuses mains continuaient à déposer de vénéneuses couronnes sur sa tombe, qui n'en finissait pas de fleurir. Freud aussi commençait de mourir. Les pensées pourrissaient comme des fleurs laissées trop longtemps dans le même vase. Il restait encore quelques grands vivants de l'ancien temps : Lévi-Strauss, Dumézil, Lacan. Barthes mourut bêtement, au zénith de sa gloire ; Pierre Goldman, Nikos Poulantzas moururent aussi. Lacan vieillissait.

Il venait d'entrer dans sa quatre-vingtième année lorsque parut le premier pamphlet qui l'attaquait pour de bon. Ce fut un grand succès. Jusque-là, n'avaient circulé que de vagues feuilles de chou ronéotypées, qui le critiquaient de l'intérieur du monde psychanalytique. Et de très sérieux et très tristes articles de collègues qui n'étaient pas d'accord avec lui. On savait bien que ça bataillait ferme, mais on n'y prenait pas garde. Cela durait depuis si longtemps... Il semblait avancer en âge tout doucettement, entouré des mêmes haines qui lui tenaient chaud, confit dans son séminaire qui durait encore, sans histoires.

Ce premier pamphlet — *L'Effet 'Yau de Poêle* — le traitait cependant comme un jeune homme, avec la vigueur féroce que l'on réserve aux pensées dans la force de l'âge. L'auteur, un théoricien pourtant fort doux[1], avait toujours détesté Lacan ; il était de l'équipe des *Temps modernes*, et faisait partie de l'entourage de Sartre, qui vieillissait lui aussi, mais dont l'audience renaissait à proportion de sa décadence physique. Sartre était aveugle, il n'écrivait plus, il marchait à peine, mais sa gloire était plus lumineuse que jamais : on le vit bien quand il mourut. Son jeune ami fit recette en attaquant Lacan : les temps étaient donc venus.

Cela n'aurait pas justifié la couverture d'*Actuel*, si ne s'en était mêlée, brûlante et rapide, l'actualité. Lacan, ce vieil homme plutôt digne, qu'on avait tendance à oublier dans son coin, fit tout à coup parler de lui. Un beau jour de janvier[2], il fit savoir qu'il dissolvait son école de psychanalystes. Oh ! certes, en son temps, Freud en avait fait autant ; mais lui, au moins, il y mettait les formes. Freud avait coutume d'envoyer aux membres de son association une petite lettre courtoise, où il leur proposait de ne pas revenir si le cœur ne leur en disait plus. Lacan fit de même, mais dans son style à lui : une lettre publique où il insultait tendrement, à son habitude, ses ouailles. Il leur disait de haut : « *Je parle sans le moindre espoir — de me faire entendre notamment.* » Il envoyait sur les roses, non sans gaieté, ceux qui ne lui plaisaient plus, et à qui il ne plaisait plus. « *Je n'ai pas besoin de beaucoup de monde,* leur écrivait-il. *Et il y a du monde dont je n'ai pas besoin.* » Pour finir, il mettait le paquet. « *Je les laisse en plan afin qu'ils me montrent ce qu'ils savent faire, hormis m'encombrer, et tourner en eau un enseignement où tout est pesé[3].* » Il n'y avait plus d'« École freudienne de Paris ». Ce fut un beau tapage.

Chose étrange, le tapage gagna les médias, qui pourtant ne manquaient pas d'actualité. L'Union soviétique venait d'envahir l'Afghanistan ; la révolution iranienne tournait mal, le président Carter commettait sottise sur sottise, à quelques mois des élections américaines. Mais en France, on s'ennuyait ferme ; entre les déclarations du P.C. contre le P.S., les dissensions internes des partis, et les coups de clairon des dissidents des deux côtés, ce qui s'appela, très vite, « *l'affaire Lacan* » combla un vide. Et cela devint une grande affaire. Les psychanalystes lacaniens en furent bouleversés. Ils n'existaient plus, ils étaient dissous, mais enfin on parlait d'eux. Et, coincés dans leurs sourires entendus, pris aux pièges de leurs mauvais jeux de mots, ils quémandaient un brin de place, un bout d'espace, pour que passe dans les journaux « leur » article. Lacan leur avait demandé de lui écrire, personnellement, pour faire acte de candidature dans la nouvelle école qu'il fonderait sûrement demain. Alors, ils écrivaient. Mais pas seulement à Jacques Lacan, rue de Lille. Ils écrivaient publiquement ; ils voulaient participer à l'apogée de leur Maître, et, s'il avait écrit dans les journaux (qui s'étaient hâtés de reproduire le document), pourquoi pas eux ? Alors ils y allaient de leur épître, de leur nouveauté jamais dite, qui allait, ils en étaient assurés, jeter des lueurs nouvelles sur cette ténébreuse affaire... A travers Lacan, c'était d'eux que l'on parlait. Leur heure de gloire était arrivée. Bien entendu, les journaux, eux, ne s'intéressaient qu'à Lacan. Qui ne disait presque rien, refusait les entretiens, ne se montrait pas et livrait au compte-gouttes des textes qu'il avait déjà prononcés. Fidèle, en cela, à lui-même, et, plus qu'eux, à ces pitres qui voltigeaient autour de lui.

Il l'avait dit, quelques jours après sa première lettre, dans une communication aux membres de son école dissoute : « *C'est sur le tourbillon que je compte*[4]. » Il était, sur ce point, gâté. Comblé, même ; et il ne cachait nullement que c'était de cela qu'il était fatigué : d'être comblé. Gavé d'un étouffant amour, comme celui des mères qui accablent leur nourrisson de trop de nourriture, et ils deviennent anorexiques, au point de crever de faim ; histoire de leur montrer, à leurs mères, qu'ils ont envie d'avoir faim. Lacan, à quatre-vingts ans bientôt, avait faim d'avoir faim. Il voulait sortir de la glu tendre des disciples qui, parce qu'il vieillissait, commençaient, peut-être sans le savoir eux-mêmes, à le momifier, à l'enterrer. Leur tendresse respectueuse et leur adulation, il appelait cela « la colle ». Tout près de l'École.

Et il le leur disait. « *L'Autre manque. Ça me fait drôle à moi aussi. Je tiens le coup pourtant, ce qui vous épate, mais je ne le fais pas pour cela... S'il arrive que je m'en aille, dites-vous que c'est afin-d'être Autre enfin[5].* »

Car il tenait ce rôle de point fixe, de référence totale, et il en avait assez d'être, pour tous, leur Autre. S'en aller... Un acte gaullien. La même année, pour le dixième anniversaire de la mort du grand homme, se chanta un air nostalgique et chauvin qui le faisait revivre. Lacan fit de même dans son coin d'analyste ; il refit le coup de Baden-Baden, ou de Colombey-les-Deux-Églises, en filant à l'anglaise. Bientôt, l'affaire évolua. Après la première surprise, les uns s'exclamèrent : « Enfin ! » comme s'ils n'attendaient que cela, et suivirent avec extase les nouveaux pas où s'engageait leur maître, qui fondait de ce jour un nouveau groupe : la Cause freudienne. Les autres n'entendirent pas se laisser dissoudre comme du savon à paillettes. Ils se lancèrent dans un procès, au nom de la loi sur les associations de 1901, conscients qu'une collectivité a quand même son mot à dire sur la fin de sa propre existence. C'était un baroud d'honneur symbolique. Mais Lacan constitua un groupe pour la dissolution de son école ; et laissa faire les plus actifs, qui appelèrent « *Delenda...* » le bulletin intérieur destiné à cette opération. *Delenda est Carthago, delenda est* l'École freudienne. Rome et Lacan, même combat.

On n'avait jamais vu gens si acharnés à renier leur propre existence. Les sournoises querelles qui minaient le groupe des lacaniens, et qui avaient motivé la décision de Lacan, se poursuivaient sur un autre terrain. Ceux qui aimaient Lacan, et qui voulaient dissoudre, face à ceux qui n'en supportaient plus la tutelle, se disputaient un homme, un nom, un symbole. Tous prétendaient parler au nom de Lacan ; chacun détenait la vérité du moment, pour dissoudre, ou pour ne pas dissoudre. Il y eut jugement. Les avocats obtinrent un compromis : l'École serait dissoute, mais en bonne et due forme, légalement. Il fallut bien se réunir. Ils étaient tous là, à la Maison de la Chimie, en rangs d'oignon, et parmi eux, Lacan.

Il marchait comme on marche à cet âge : à petits pas. Il regardait ailleurs : il l'avait toujours fait. Il se ressemblait, juste un peu éteint. Sa secrétaire l'accompagnait de près ; cela non plus n'avait pas changé. Non, rien ne semblait avoir changé. Il était devenu un vieil homme, indifférent et serein. Le même dont les orateurs parlaient à la tribune, sous l'autorité d'un mandataire de justice au nom prédestiné, maître Zecri.

« Et alors ? me dit ma fille.

— Alors, les Z'Écrits de Jacques Lacan, parus en 1966... » Elle s'en moque. Cela ne la fait pas rire. J'ai vieilli. Lui aussi : voilà l'inadmissible. Là, sur cette tribune, ceux de ses disciples qui refusent d'admettre l'inadmissible lui tressent l'éternelle couronne qui toujours fut la sienne. Parfois, un orateur s'adresse à lui, tournant son regard dans la direction de Lacan, qui ne bouge pas un cil. Il s'ennuie, on s'ennuie, je m'ennuie. Le grand rite funèbre va s'achever. Un à un, les lacaniens montent à la tribune et vont voter pour ou contre la dissolution de leur École[6]. Je les reconnais presque tous ; c'est toute ma jeunesse qui défile. Cette urne de carton ne contient pas seulement les bulletins de vote de ceux de son École morte, elle contient les cendres de « Lacan ». Il le sait bien. Je crois qu'il s'en fout.

2. *Les séminaristes*

Dans les années 1960, à la belle époque de *Salut les copains*, de Brigitte Bardot, et des commencements de la Ve République, le petit groupe de normaliens philosophes dont je faisais partie commença à entendre parler d'un personnage magique. La rumeur nous agaçait : il n'était *ni* normalien, *ni* philosophe, *ni* agrégé, *ni* professeur. Mais il faisait parler de lui. Ses textes circulaient sous le manteau ; et ils échappaient de partout. Ils ne ressemblaient à rien de ce que nous connaissions : nous avions eu une éducation classique, Platon-Spinoza-Descartes, et peu de moyens pour en sortir. Mais, pour la sacro-sainte agrégation, il fallait quand même avoir lu Freud, et Hegel, dont nous parlait Jean Hyppolite avec un enthousiasme zézayant. Freud contredisait l'essentiel de l'esprit philosophique : il y avait des trouées dans la robe de chambre de la raison classique. Déjà, nous commencions d'étouffer sous nos humanités. En lisant Lacan, nous faisions le mur ; c'était la goguette. Cette histoire se passait à Paris, au joli temps des « sixties ».

Dans la grande salle voûtée de l'hôpital Sainte-Anne, là où nous avions vu le cirque des fous en démonstration, où les psychiatres chargés de faire « sortir » les délires dressaient les psychotiques à se montrer, il y avait cet homme plutôt petit, qui parlait. Fort peu. Lentement. Plutôt bas. Devant un auditoire de jeunes psychiatres terrorisés. Lacan, de temps à autre, les houspillait ferme ; ils se lançaient, morts de trac, et vlan, se faisaient, comme on dit, « ramasser ». Les chefs de clinique, les mêmes qui accablaient leur propre auditoire d'une autorité méprisante, tremblaient quand il leur fallait parler devant lui. Au terme d'une longue histoire que nous connûmes bien plus tard, il déménagea à l'École normale supérieure, en 1964. Ce fut encore plus fort. Malgré les quelques canulars, les boules puantes et les cacophonies que lui organisèrent les scientifiques, il tint, tous les mercredis, son séminaire. Et fit bientôt salle comble. Il fallait arriver longtemps à l'avance ; une heure suffisait à peine. Nous écoutions Lacan, nous autres apprentis profs, comme un antidote puissant à la parole magistrale, à laquelle nous étions appelés à participer. Mai 68 n'était pas loin ; mais personne, dans ce coin, ne vit rien venir. La forme de l'enseignement de Lacan fut, d'un bout à l'autre, inscrite dans la plus pure tradition de l'Université française, dont il restera l'un des plus beaux fleurons. Mais, cependant, nous avions l'exquis sentiment de goûter au fruit défendu d'une rhétorique qui attaquait nos maîtres là où, précisément, nos maîtres nous lassaient : par classicisme, par humanisme, par répétition. Celui-là, au moins, même si on ne le comprenait pas toujours, disait autre chose, de romantique, d'ascétique, et de dur. L'histoire se passait encore à Paris.

La salle se remplit, bientôt bondée. Outre les psychanalystes et les normaliens, d'abord curieux, puis conquis, on vit arriver les comédiens, les écrivains. A chaque époque, se renouvelait le cheptel. A chaque époque aussi, se retrouvait Philippe Sollers, avec toute sa troupe, qui elle aussi changeait, à peu près au même rythme : Sollers qui pratiquait déjà, comme il le dit lui-même plus tard, la « dissolution permanente » de son groupe. Vint l'ère du progrès technologique et des magnétophones : ils hérissaient l'espace de fils où l'on se prenait joyeusement les pieds. Près de Lacan, sa secrétaire, admirable d'impassibilité, faisait le guet ; et une sténodactylo enroulait le discours à mesure sur une bobine, en tapant sur sa petite machine. Comme si tout cet appareillage ne suffisait pas, on prenait des notes. Les uns, ponctuellement, de temps à autre ; les autres, avides de ne rien perdre, notaient absolument tout, et se penchaient vers leurs voisins quand par malheur un mot, une syllabe leur avait échappé. Jamais homme politique ne fut autant enregistré, consigné, scripté. Lacan mettait parfois une heure à s'échauffer.

Il était rare que l'on ressorte sans un aphorisme capable de susciter je ne sais quelle euphorie méditative qui durait, longtemps. Peu à peu, heure après heure, semaine après semaine, se forgeait une implacable grille de langage, inconsciente mais efficace, qui avait la propriété de rendre caduque toute autre forme de pensée. Cette parole lente, trouée, ces brillances fugitives, ces assertions tranchantes énoncées à voix basse, ces plaisanteries de langue où se jouait un humour tranchant, cette pensée chercheuse, hantée de mythes, tout cela produisait une obnubilation redoutable. On pensait à ce qu'il avait dit, plus encore aux énigmes de ce qu'il pouvait vouloir dire. On finissait par oublier la pensée elle-même, et par penser Lacan. On le transmettait comme les disciples des rhéteurs grecs transmettaient sans doute leur enseignement : par propagation discrète et successive, par citations perpétuelles. Et, c'est vrai, il n'y avait plus place pour une autre démarche. Si l'on ne s'en agaçait pas aussitôt, on était pris. C'est ainsi que naît un dogme.

Certes, il y avait de la monstruosité dans cet effet ; mais tel était bien le fonctionnement de ce séminaire, l'œuvre majeure de Jacques Lacan. Car il n'a presque rien *écrit*, et il n'a presque rien *publié*. Sa thèse de médecine ; quelques articles de revue et d'encyclopédie, et c'est à peu près tout. Le reste — les *Écrits* au titre contradictoire, les *Séminaires*, *Télévision* — est œuvre de parole. Tout fut d'abord prononcé, transcrit, récrit ; soit par lui, soit par son gendre, Jacques-Alain Miller, à qui l'on reprocha plus tard ses liens de parenté avec Lacan, en des termes souvent vulgaires. Il appartient au destin bizarre de Lacan de n'avoir pas réussi à trouver de vrais interlocuteurs en son âge mûr. Miller, aux dires de Lacan lui-même, fut l'interlocuteur privilégié ; et reçut plusieurs fois, par écrit, l'intronisation qui le reconnaissait publiquement comme tel[7]. Cela non plus ne lui fit pas d'amis ; les lacaniens sont comme les autres, envieux, papoteurs, et petits. D'autant plus que, pour la plupart, ils restaient d'une étonnante passivité : Lacan conquit des auditoires, mais les rendit muets. Trop fort, le cérémonial dont s'entourait son angoisse ; trop prophétique, son énonciation. Allez donc causer à Moïse sur le mont Sinaï.

Parfois, on s'ennuyait, pesamment. C'est le lot de l'enseignant, quand il lance sa parole dans un vide tout empli d'oreilles, de susciter l'ennui ; et Lacan n'y échappait pas. Les meilleurs de ses auditeurs savaient reconnaître l'instant où allait fuser l'inspiration. C'était un prodigieux spectacle ; s'il ne devait rester qu'une seule dimension de Lacan, ce serait sans doute celle-là : son génie de la parole. Les phrases se posaient comme des flèches sur une proie ; elles se débridaient soudain, au terme de longues périodes, comme de sanglantes plaies. Elles s'enroulaient en volutes elliptiques, ésotériques et allusives, pour mieux fondre sur l'objectif. Lacan parlait comme planent les éperviers, tourbillonnant autour d'une idée, avant de s'en saisir, tombant comme la foudre sur les mots. Parfois aussi, il se taisait ; il semblait hésiter. Il était manifeste qu'il pensait en public ; et le soin qu'il mettait à préparer son « cours » n'enlevait rien à l'improvisation de la langue.

Comme il en va pour tous les inspirés, un jour, plus rien ne passait. L'enchantement s'évanouissait comme neige au soleil ; ne restait plus qu'un petit homme, qui parlait plutôt bas, et lentement.

En Andalousie, la tauromachie est inspirée. Les toreros andalous ne sont pas comme les autres Espagnols, classiques, courageux, sérieux ou dramatiques. Ils exigent, pour que leur art puisse s'accomplir, qu'une magie soit possible. Et cette exigence ne s'adresse à personne, qu'à eux-mêmes.

Celui-là, Curro Romero, attire des foules d'Espagnols fanatiques. Ils attendent que se renouvelle le geste de cape, la passe admirable, qui, en une seconde, les dressera debout dans l'arène pour d'interminables ovations. Mais, pour que cela advienne, il faut que le « duende » soit de la partie. Le « duende » : un petit lutin fantaisiste, l'inspiration elle-même. Le « duende » peut s'effaroucher d'un taureau qui entre de travers, d'un nuage qui passe au mauvais moment, d'un chat noir croisé sur la route, ou de rien du tout. Le « duende » est un petit dieu terrible. Quand il n'est pas là, ce torero au corps épais, à la face plate et sotte, fait figure de navet pâle. Personne ne lui en tient rigueur. Tout le monde sait bien que ce n'est pas sa faute. Le « duende » l'a quitté pendant

22

plusieurs années ; imperturbable, le public attendait ; c'était pour l'année prochaine. Le « duende » est revenu cette année à Séville : voici notre homme reparti, il pourra faire attendre son génie encore longtemps. Il y a dans la conception tauromachique du « duende » quelque chose qui touche à l'immortalité : l'inspiré a tout son temps. Plus encore que sa vie.

Il y a dans la conception du séminaire de Lacan quelque chose qui touche à l'immortalité. Cet homme-là aussi a tout son temps. Et, c'est en inspiré qu'il dissout son École et en fonde une nouvelle. D'autres diront bourgeoisement : « Passe encore de bâtir, mais planter à cet âge... » Mais il s'en fiche ; il a tout le temps.

« Ma pauvre mère, tu l'aimais... » dit ma fille.

— Oui, je l'aimais. J'étais, comme presque toute ma génération, amoureuse d'une pensée. Cette fascination de la pensée irrite celui qui n'y participe pas. Face à l'envoûté, l'esprit critique est assez comparable à la belle-mère qui voit qu'un gendre va lui chiper sa fille : elle ne comprend rien de la passion, et dissèque, d'un petit œil froid, en propriétaire. Les esprits critiques avaient raison ; c'était un phénomène bien parisien, une mode, une folie, un snobisme. Ils avaient raison, sauf sur un point : le pourquoi de cette passion collective, qui ressemblait tant à de l'amour, échappait à toute critique extérieure, même la plus fondée. Lacan semblait parfois supporter mal cette adulation permanente. Chaque année, en fin de course, il évoquait l'arrêt du séminaire : allait-il continuer ? Mais oui, il était fidèle, à chaque rentrée scolaire. Chacun en était à la fois soulagé, et contraint. Il allait donc falloir recommencer.

Oui, c'était bien de l'amour. Quand on est à l'heure au rendez-vous, quand rien ne peut le faire manquer, quand on sort déçu parfois, mais épris, toujours, de quoi s'agit-il d'autre ? Oh ! je sais, cela fait mauvais genre aujourd'hui. On appelle cela le dogmatisme. Et c'est vrai : de cette sorte d'amour naissent la trahison de soi-même, la fixité, la fin de la pensée. Mais peut naître aussi, et dans le même processus, une autre sorte de pensée qui se bat contre elle-même, et détruit son objet, dans le meilleur des cas. Elle garde un « noyau dur », attaché à l'objet aimé ; elle garde ce qui, à l'origine de la même histoire, avait suscité l'amour. Lacan garde pour moi certains de ses noyaux durs, même si j'ai détruit les cosses, les pelures, les écorces tout autour.

Il en va de cet amour comme de tous les autres. Un beau jour, on manque le rendez-vous ; un autre a paru plus important. On se sent coupable. Il faut encore longtemps pour parvenir à la séparation véritable. Décennie après décennie, les disciples ont quitté, puis haï Lacan. Comme les anciens communistes, et pour les mêmes raisons : l'image défaite demande à être tuée. Pour moi, j'ai trop le sens de la dette pour en arriver à ces extrémités, dans les deux cas : je sais où sont, où furent mes mythes. Je les remercie d'avoir existé.

Car on ne pense jamais seul, règle absolue. Penser avec Lacan — « penser Lacan » —, ce n'était pas pire que de penser Mao : il n'est guère étonnant que les mêmes se soient rués derrière Mao, qui trottinaient derrière Lacan. C'était la même loi interne. Je ne crois pas qu'il faille en avoir honte. Ainsi se forme l'esprit, qui ne naît jamais de lui-même. Qu'il se nourrisse d'un prof de lycée, d'un auteur cent fois relu, d'un acteur, ou de Lacan, c'est la même histoire. Ce n'était pas plus grave que de croire, comme une idéologie illusoire tend à le penser aujourd'hui, qu'on peut se déterminer seul. Comme un grand. Il y a dans toute pensée une figure adolescente qui ne disparaît jamais tout à fait : et si être adulte, c'était tout simplement ne plus penser ? Les disciples de Lacan ont tous gardé de l'adolescence les ferveurs, les fureurs, les énervements bouillonnants, les insupportables partis pris. Fanatiques comme les adorateurs des pop'stars. Mais ils ne vieillissent pas : Lacan leur a gardé leur jeunesse.

Vint Mai 68, et de sérieuses difficultés pour le maître en personne. Vincennes n'épargna pas Lacan, qui fut contesté, chahuté et qui systématisa ses attaques contre l'Université, sans rien changer à la forme immuable de son séminaire[8]. Passa Mai 68 : il avait résisté. Mais des germes de contestation avaient passé dans les têtes de ses fidèles. S'il avait subi sans coup férir les assauts des « étudiants » qui, de toute façon, ne laissaient la parole à personne, il n'en allait pas de même à l'intérieur de son École. En sourdine, par fusées successives, se forma une opposition fluide, parfois passagère, puis plus ferme. Certains osèrent se servir d'autres textes, d'autres pensées, malgré les rappels à l'ordre. Il y eut des dissidents. Félix Guattari, qui patrouillait gaiement dans les plates-bandes de l'Italie, par Basaglia interposé, ou des Amériques, à travers Bateson ; Françoise Dolto, qui ne cachait plus son inspiration chrétienne[9] ; et ceux qui, malgré l'interdit, continuaient à suivre l'évolution de Jacques Derrida[10]. Des femmes, avec qui il eut des chamailleries, Luce Irigaray, Michèle Montrelay. Il ne traitait pas toujours bien les rebelles. Batailles internes ; interdictions de séminaire, brimades discrètes, puis appuyées.

Un jour, se mirent à changer les rumeurs. Des rumeurs, il en avait toujours circulé : le numéro d'*Actuel* n'est rempli que de leur bruit. Le journaliste qui s'était chargé de l'enquête[11] avait formé le projet d'écrire une très véridique histoire du très illustre docteur Lacan, sans ajouter nécessairement foi aux ragots qui couraient autour de lui. Il était plein de bonnes intentions biographiques. Or, il trouva partout portes closes — il le raconte lui-même — et nul ne voulut, ou ne put, rien lui dire qui fût précis, à part le *Who's who* et quelques textes déjà anciens, qui lui livrèrent de vieux secrets d'avant-guerre. Ne restaient donc que les rumeurs. Lacan en colère, Lacan séducteur, la cravache d'or qu'il aurait envoyée à Jeanne Moreau, Lacan à l'envers, Lacan à l'endroit. Lacan fumiste : dans son antichambre ronde, des patients en surnombre, attendant sagement, pendant des heures, pour des séances de quelques minutes. Lacan et sa secrétaire. Une de ces rumeurs rapporte justement qu'un honorable confrère anglais qui venait en visite fut surpris d'entendre Lacan qui venait à sa rencontre, l'aborder en lui jetant à la tête un « Gloria »... pour le moins énigmatique ; il fut si surpris, le confrère, qu'il répondit tout à trac : « Gloria tibi, domine »... Gloria n'était que le prénom de la secrétaire de Lacan ; point d'autre exhortation religieuse là-dedans, que celle qui traînait dans la tête du malheureux confrère. Une légende se crée autour de lui comme autour d'une star, autour d'une comédienne du demi-monde dans les années 1900. Telle était bien sa démarche quand il entrait dans la salle pleine de monde : marchant craintivement, avec précaution, mais l'œil ailleurs, de peur de rencontrer trop de regards, trop de regards haineux, trop de regards épris.

La rumeur de janvier 1980 n'avait pas encore couru, et pour cause. Elle disait, la rumeur, que Lacan se mourait. Atteint par un mal qui touchait à l'intégrité de ses facultés mentales. On en était sûr, un rendez-vous avait été pris chez un neurologue, on allait peut-être l'hospitaliser, l'enfermer... Sublime, la rumeur tapait à la tête. Que Lacan achevât sa vie dans la démence, c'était quelque part inscrit dans la logique d'une histoire. L'histoire d'un héros légendaire. Car la légende ne comporte pas que des rumeurs de détestation et de dérision. Elle comporte, à l'évidence, ses endroits héroïques, ses hauts faits, ses exploits secrets. L'héroïsme de Lacan se manifeste cependant peu dans la légende : c'est un personnage réservé. Qui sait cette histoire familiale, racontée par un de ses proches ? Pendant la seconde guerre mondiale, sa femme Sylvia avait commis l'imprudence de se déclarer juive, comme l'y invitait le gouvernement « français ». Lacan s'en fut à la Gestapo, et décida de n'en ressortir qu'avec le dossier de sa femme sous le bras. Il y parvint. Et appela Judith la fille qui lui était née. Exprès. Cette démarche fut secrète. Et son héroïsme l'est toujours : c'est un héroïsme bourgeois, et privé. Il ne recherche pas la faveur des médias. Peu d'interviews, pas de télévision, sauf une fois, pour une émission de recherche, où il parlait face à la caméra, que dirigeait Benoît Jacquot qui réalisa un petit film très strict et très chic, bien dans le style de cet héroïsme têtu[12]. Lacan y parlait un langage sans la moindre concession ; c'était sublime si l'on voulait aimer, dérisoire si l'on ne cherchait pas à comprendre ce vieil homme au nœud papillon désuet, parfaite image du patron de médecine, et qui parlait comme un poète.

Héroïque, il le fut dès les années 50, quand il partit en guerre contre la psychanalyse à l'américaine, qui avait envahi le Vieux Monde en même temps que la liberté recouvrée et les premières oranges. Héroïque, il le fut dans la façon dont il mena un combat d'abord défensif, puis offensif, quand il n'eut plus le choix, face à des autorités psychanalytiques qui le mirent en position d'exclu à jamais, sans aucun espoir de retour. Héroïque, il fut bien forcé de l'être, puisqu'il était devenu, à partir de 1953, un enjeu entre deux camps, celui de la médecine officielle et celui d'une psychanalyse ouverte aux non-médecins, celui des mandarins de pouvoirs, et celui des jeunes loups de l'avenir : entre les deux, il tenait à merveille le rôle du gêneur. Il lui arriva de parler comme s'il était le prince de Hombourg de la psychanalyse : le héros qui rêve de victoire et de lauriers posés sur son front, et que l'on emprisonne malgré sa bravoure, parce qu'il a enfreint les ordres. Oui, l'endroit de la légende de Jacques Lacan vaut son envers : aux colères, aux méchancetés, répondent les orgueils et les choix courageux. Le prince de Hombourg n'est pas séparable du vieux clown attendrissant aux costumes trop chics, au lacet croisé en guise de cravate. Je me souviens l'avoir vu, il y a une petite dizaine d'années, s'imposer une épreuve privée : au bas de l'escalier qui montait chez lui, il prit son souffle — il pouvait avoir soixante-dix ans — et, comme Tintin en culottes de golf, il grimpa en sautillant toutes les marches, juste comme ça, pour se prouver que. Cette gymnastique appliquée et sérieuse, et les fastes d'une image où s'accrochent des lambeaux d'antique, c'est Lacan. Montherlant, parlant du torero El Gallo, le « divin chauve », qui s'amusait à être mauvais devant les « toros » pour faire trembler ses fidèles, et mieux les éblouir ensuite, parle du Génie, et des fumisteries du divin. Et il évoque le clown. « *Arrivé à ce point du dialogue que l'artiste, clown sublime, ne cesse de tenir avec M. Loyal, au centre d'une assemblée de cacatoès, dont M. Loyal est comme le délégué, M. Loyal déchire ses vêtements : "Il a blasphémé !" puis, écumant de rage, donne à Clown un coup de pied au derrière. Mais ce coup de pied envoie Clown, comme celui de Banville, "là-haut, dans les étoiles". L'orchestre s'arrête. Les lampes tombent. Venu des cintres, de quelque part, on entend un rire qui s'éloigne, et une voix fallacieuse : "Cherche-moi"*[13]. »

Mais l'héroïsme peut lasser. Un jour, j'ai cessé d'aller au séminaire, cette voix familière ne me disait plus rien. Je regardais ce spectacle comme si jamais je ne l'avais vu. Sollers avait tenu bon. Les auditeurs, dont certains avaient doucement vieilli, semblaient des enfants attendant leur Guignol. Plus rien dans ce grand dispositif parisien ne parvenait à m'émouvoir. Je me trouvais ridicule d'être là. L'amour était bien mort. Restaient les textes ; mais « tout était fini ».

De l'amour, personne n'a mieux parlé que lui. Il en parlait entre les phrases, entre les mots, à propos de tout et de rien ; il arrivait qu'il y consacrât un long développement. Mais, le plus souvent, un albatros glissait à la surface du discours, une allusion, un battement d'ailes ; une permanente présence, d'autant plus légère qu'il s'attardait lentement, longuement sur les impasses du désir, les désespoirs du fantasme et l'impossibilité du « rapport sexuel ». L'amour restera sans doute, dans le système de Lacan, d'ailleurs moins rigide et moins fermé qu'on le dit, l'une des rares issues, peut-être la seule. Une porte qui, au contraire des autres, n'était pas fermée. Entrebâillée. Il citait souvent ce poème de Rimbaud, *A une raison* :

Ta tête se tourne / Un nouvel amour
Ta tête se détourne / Un nouvel amour...

Ma tête, un jour, se détourna.

Mais quand parut le pamphlet qui l'attaquait, je refusai de faire chorus. François George, l'auteur de *L'Effet 'Yau de Poêle* m'écrivit alors : « *Je me félicite de lui voir une avocate. Si pour ma part je lui ai toujours témoigné de l'hostilité, ceux qui se retournent aujourd'hui contre le lion devenu vieux après lui avoir léché le dessous des pattes au temps de sa splendeur ne m'inspirent que du mépris.* » Ce jeune homme fort doux était aussi un honnête homme. Quand éclata l'affaire Lacan, quelques mois plus tard, j'enrageais. On parlait de tout, de ses cravates, de son nœud papillon, de ses lunettes, de ses frasques, de ses séances, mais pas de l'essentiel : sa pensée. Comme s'il n'avait jamais été rien d'autre que ce clown splendide, gourou de luxe pour intellectuels parisiens ; « *magnifique et pitoyable Arlequin* », lui lança un jour Althusser, qui vint faire un éclat dans l'une des séances du groupe « Delenda » [14].

Si Lacan est aujourd'hui mort à la rumeur, et puisque sa mort biologique a mis un terme à son histoire, après tout ce bruit qui s'est éteint de lui-même, on pourra enfin parler de ce qu'il a dit. Pas de son nœud papillon. Pas de ses luxes et de ses masques. Et surtout pas de son École, qui le cache comme un rideau de fumée.

3. *B.A.* = *BA*

Ma fille a délaissé *Actuel* pour se plonger dans *Télévision*. Parce que, de Lacan, c'était le livre le plus petit ; et parce que, me dit-elle, la couverture, avec cette femme romaine aux voiles déployés, lui plaisait bien. Elle en est sortie boudeuse. Dès les premiers mots, elle s'était arrêtée : « J'ai rien compris... »

Les premiers mots de *Télévision*. « *Je dis toujours la*

vérité ; pas toute, parce que toute la dire, on n'y arrive pas. » Et sur la page étroite, sans titre, sans avertissement, s'inscrit dans la marge, comme un graffiti énigmatique, une des formules logiques inventées par Lacan : *S (A)*.

« C'est quoi ? » dit-elle.

Oublie cela. Nous verrons plus tard, à une seconde lecture. Pour tout lacanien, ce signe aura été l'un des premiers éléments du code. Veux-tu que ce soit un panneau de signalisation ? C'en est un. Mais regarde plutôt la phrase elle-même. « *Je dis toujours la vérité...* »

« Il ne manque pas d'air, ton Lacan !... » dit-elle.

Non, il n'en a jamais manqué. Mais vois, il corrige. « *Pas toute la vérité.* » Parce qu'on ne peut pas dire *toute* la vérité.

« Pourquoi ? On ment ? On oublie ? » dit-elle.

Parce que, pour tout dire, il faudrait plus de temps, plus de mots. C'est bien ce qu'il dit dans la phrase qui suit : « *La dire toute, c'est impossible, matériellement : les mots y manquent.* »

« On ne peut pas tout raconter », dit-elle.

Tu vois, ce n'était pas si difficile. Et le signe ? Il suffit, pour le lire, de savoir à quoi renvoient les majuscules. S, c'est une lettre qui renvoie à deux choses : le signifiant, ou le sujet... Je n'ai pas le temps de finir ma phrase.

« Le sujet du verbe ? »

Si tu veux. Le sujet de tous les verbes : celui qui parle, qui pense, celui aussi à qui l'inconscient joue des tours. Quand tu te trompes sur un mot, qu'il en vient un autre à la place de celui que tu avais choisi de dire, ce n'est plus toi qui parles vraiment. Tu es parlée. Le sujet, c'est à la fois toi et pas toi ; tu es aussi un lieu de passage pour ce qui aura décidé de sortir coûte que coûte. On appelle cela « lapsus » ; un mot qui vient d'un verbe latin, « s'écouler », « tomber ». Le mot tombe comme un bout de viande qui glisse de ta bouche, comme une gorgée de lait qui coule le long de tes lèvres quand tu bois trop vite. Tu manques ton coup. Freud disait que le lapsus est un « acte manqué » : rater une marche, buter sur le trottoir, oublier son écharpe. Tout cela passe à travers toi, tu n'y penses pas, ce sont des bêtises. Des bêtises sur lesquelles se construit toute la psychanalyse. Et le sujet n'est ni « je » ni « toi » ni « il ». Il est le rendez-vous de l'inconscient.

« Mais lui, Lacan, il commence par dire "je" ? » dit-elle.

Toute sa vie, il a tenu la gageure de dire la vérité, mais pas toute. Parce que toute, on n'y arrive pas, et que « je », ce n'était pas « lui ». Lui non plus d'ailleurs n'est pas arrivé à la dire, cela se saurait. Mais il en a dit, à force de travail et de précision, un peu plus que d'autres. Seuls croyaient qu'il disait *toute* la vérité les copieurs éperdus, les enregistreurs à tout va, les dévots qui en firent le chef d'une secte. Ils n'avaient pas bien entendu.

« Et le S, ça veut dire aussi autre chose ? »

Quand tu parles, que tu écris, il y a un souffle, un son qui sort de tes lèvres ; et une forme qui se trace sur le papier. Ça fait partie du langage ; c'en est la matière. L'agencement de ces sons ou de ces formes, enchaînés les uns aux autres, produit une sorte de fil souple qui fait des phrases. Et au bout du compte, ça « *veut dire quelque chose* » : ça dit, tout simplement. Le signifiant, c'est la partie la plus élémentaire du langage, qui te cause comme tout à l'heure le lapsus. Il te représente. Même si tu te tais, il te fait exister, toi, tes mots et ton nom...

« Et le A, il est corrigé ? » dit-elle (cette affaire de signifiant l'ennuie).

On pourrait expliquer le A barré ainsi : un correcteur philosophe, un prote de génie se serait trompé. A, c'est l'autre. Toi pour moi, moi pour toi, n'importe qui pour n'importe qui d'autre, et aussi le premier qui t'a faite telle que tu te définis : avec ton prénom, ton nom propre, ton identité...

« Alors, c'est Dieu ? »

On n'en a jamais parlé, de Dieu. Cela la fait rire. Mais si tu veux, Dieu. Et si ce n'est Dieu, c'est ton père, dont tu portes le nom. Et puis, ce n'est pas seulement lui, mais,

31

avant lui, son propre père, et toute la génération qui te fait parler aujourd'hui. De l'Autre — Lacan y met une majuscule pour qu'il soit bien entendu qu'il ne s'agit pas seulement du pékin à qui tu parles dans la rue — tu dépends. Tu dépends d'une idée d'homme, ou de Dieu, ou d'État, ou de dictateur, ou d'ordre, qui transmet une sorte de barrage. Apprendre, à l'école, dans toutes les écoles, voilà comment se transmet, par exemple, le barrage. Il existait avant ta naissance ; il existera pour tes propres enfants.

On peut appeler cela : la culture. Dans tous les sens de ce mot : la culture qu'on apprend à l'école, et celle dont parlent les ethnologues, quand ils décrivent en tâtonnant les règles de vie des autres, ceux qui ne vivent pas comme nous. Ils ne mangent pas comme nous, ils ne dorment pas sur les mêmes oreillers, ils n'enterrent pas leurs morts, ils les brûlent, ou les laissent pourrir et piquent des plumes sur les os quand il ne reste plus qu'eux, ou les mangent. Cela aussi s'apprend : l'éducation d'un enfant n'est rien d'autre que le lent apprentissage de ces règles qui te font française — lave-toi les cheveux, sois à l'heure à table, lave-toi les dents, habille-toi... — et pas nambikwara : roule-toi dans le sable, ne te lave pas, épouille-moi, va faire l'amour avec ton petit cousin. Et ta culture t'entrave : elle est faite pour cela. Elle est aussi l'Autre. Ton père, en te léguant son nom, t'a légué ce cadeau.

« Et la barre, c'est un barrage ? »

Non. C'en est le contraire. C'est l'idée tout à fait folle qu'on pourrait se débarrasser de l'Autre, larguer les amarres, et faire tout ce que l'on veut. Dire aussi tout ce que l'on veut : par exemple, toute la vérité. Mais c'est une illusion. L'Autre-barré, ça ne marche pas ; c'est une limite qui ne s'atteint pas. Ce serait une drôle de jouissance, quand même, de pouvoir tout dire, tout faire, en même temps...

Je lui ai raconté une fable. Je n'ai presque rien dit. Il fallait parler du signifiant maître, du phallus, et puis de la jouissance, y aller de quelques équations... Elle est déjà partie ; elle a eu raison. Me voici seule avec mes propres illusions. Renvoyée à $\cancel{S}$, le sujet que je suis, coincée de toutes parts quand il faut expliquer un système dont le principe n'est pas la clarté, mais la pénombre. Renvoyée aux illusions pédagogiques. Celles-là mêmes où Lacan s'est fait prendre.

Avant de partir, elle a tout juste dit que toutes ces barres, ces parenthèses, ces contraintes, cette dépendance... ce n'était pas très gai. Et s'est plongée dans les œuvres complètes de Woody Allen.

4. *L'obscure clarté du christianisme*

Les psychanalystes ne sont jamais très gais : est-ce parce qu'ils se savent, plus que d'autres, dépositaires de cette culture qu'ils ont en partie la charge symbolique de transmettre ? Lacan savait dire cependant des choses drôles sur nos tristes limites. De ce désaccord, dont il jouait en maître, entre le rappel à l'ordre et la gaieté du langage, lui est venu le tragique. Plus déchiré que Freud, dont il n'avait pas la passion constructrice, il fut l'homme de la discorde nécessaire. Tout ce qui, des hommes, est échec, division, déchirure, il l'aura exprimé. Il n'est pas étonnant qu'il soit devenu lui-même bouc émissaire, objet d'exclusion rejoignant ainsi la fonction originelle de ce bouc sacrifié d'où naquit, dans le mythe grec, la tragédie athénienne. Bouc sacrifié, symbole du tragique, lieu de partage : il s'est laissé partager, bien plus que Freud, qui veillait, lui, âprement au grain. Il y a chez Freud une obstination unitaire, qui se sent malgré lui, même lorsque éclatent des conflits, même lorsque adviennent des scissions. Freud avait un tempérament de fondateur ; il devait être à la fois rassembleur et sévère ; mère poule et père fouettard. Il lui fallait à tout prix créer de toutes pièces une institution faite pour développer une science à peine née. Il y a chez Lacan une sorte de mimétisme, qui peut faire songer à la grande figure du père mort, à ce Freud auquel il voulait retourner. Mais il y a aussi la haine des groupes, et de leurs gluances. Lacan se laissait disséminer, répéter, interpréter... Et puis, de temps à autre, lui revenait le désir de se refaire une intégrité. Il expulsait à son tour les plus forcenées de ses Bacchantes, celles qui le déchiraient à belles dents, en l'aimant trop, en le haïssant bien, et redevenait, pour un temps, intact : la théorie était sauve, et son nom, vierge à nouveau. Il ne fallait pas longtemps avant que d'autres ne recommencent à faire de « Lacan » l'objet de leurs partages. Le dernier épisode est un modèle du genre : on se le déchire, on se le partage, il dissout ces gens-là, il redevient « Lacan ». Quelques mois après, il a laissé entrer qui le désirait dans la nouvelle école en voie de formation, et voilà qu'à nouveau on parle pour lui, on le revendique, on le défend — on se le partage.

De Freud, il garda cependant la volonté fondatrice. Fonder une institution ; et fonder son propre nom. Il avait hérité du rêve que Freud, un jour, raconta à son ami Fliess : une plaque de marbre serait apposée à l'endroit précis de ses découvertes. Sur la plaque, on aurait inscrit : « *C'est ici que fut révélé au Dr Sigmund Freud, le 24 juillet 1895, le secret des rêves.* » Un rêve d'immortalité. Comme le père fondateur, Lacan érigea sa propre image : mais ce n'était pas le petit narcissisme au long cours de la célébrité. Ni Freud ni Lacan ne se gratifiaient des menus plaisirs de la notoriété ; leur fantasme est plus fou. Il touche à la mémoire des siècles, il demande que le nom d'un homme devienne synonyme de son temps. La plus sûre victoire de Lacan, la plus immédiate, c'est d'être parvenu à fonder son propre nom.

De Freud, il garda aussi la volonté systématique d'inaugurer un savoir. Mais il prit des risques, et se scia à lui-même la branche des savoirs sur laquelle, comme psychanalyste, il était paisiblement assis. Il critiqua tout : la linguistique dont il s'était servi, l'ethnologie qui lui avait tant donné, la psychologie qu'il avait toujours eue en horreur. Autour de lui, c'était le désert des savoirs ; il y siégeait, comme un stylite sur sa colonne, hautain, prestigieux, solitaire comme il fut toujours. Seule demeurait, unique aliment de l'ermite au désert, la mathématique. Graphes, équations, nœuds, bouteilles, structures, bandes... qu'il transformait, au tableau noir, en illisibles gribouillis : il se trompait, comme tout le monde. Sa théorie pourtant semble bardée : hérissée de symboles, barricadée de logique. Apparemment, tout est « comme Freud » : au sens où l'on dit « comme neuf », à propos d'une voiture rafistolée. Freud aussi, le papa, fabriquait des schémas complexes. Freud aussi utilisait la science de son temps ; ce n'est pas la partie de son œuvre qui le fit accéder à l'immortalité. Sur ce point au moins, Lacan lui ressemblera : la part mathématique de sa pensée n'est pas la plus immortelle.

Mais le spectacle des lacaniens met la puce à l'oreille. Traînant toujours sur eux le dernier cri mathématique, ils jouent avec des ronds, tripotent des espaces, découpent des bandes de papier, et croient théoriser. Et l'usage infiniment obsessif qu'ils font de ces petits objets semble leur inspirer une profonde tristesse. Il n'est pas sûr que Lacan, de son côté, n'ait pas l'esprit plus ludique que ses disciples. Il n'est pas sûr que ces graphes, ces tores, ces anneaux ne trouent pas le système de Lacan d'immenses lacunes de pensée, laissant à blanc, à découvert, des mers encore impensées, sur lesquelles il fait flotter ses bateaux de papier découpé. Les vieux enfants jouent avec des ficelles ; et c'est un jeu très sérieux. Mais le jeu ne les oublie pas.

Ficelles : souvent, Lacan donnait l'impression de les exhiber pour se défendre. Se défendre d'un langage qui l'emportait au loin, du côté poétique qui, profondément, est le sien. Oh ! elles étaient marquées au sceau de la « rigueur », ses ficelles. Mais, alors qu'au départ, les graphes avaient une fonction pédagogique — faire comprendre — ils occupèrent bientôt toute la place. C'est l'histoire d'un poète qui voulait être aussi mathématicien. L'histoire d'un acteur qui voulait être aussi gymnaste. Celle d'un psychanalyste qui ne cessait d'être philosophe. L'histoire d'un sorcier qui reniait ses propres philtres. Celle d'un héros anachronique qui voulait à tout prix s'inscrire dans la modernité.

J'aime mieux l'autre Lacan. Celui qui se laisse bouffer. Celui qui se trompe au tableau noir. Celui qui s'envole et laisse aller ses phrases, et tant pis si elles l'emportent au-delà de lui-même. L'autre Lacan, prophétique et gaffeur, m'enchante. J'ai pourtant, moi aussi, joué avec des bandes de papier. Mais Lacan sorcier me séduisait bien davantage. L'amour était là où il fondait, là où il annulait, formulait, puis détruisait ses formules en un éclat de rire, creusant des trous de taupe sous toutes les certitudes, ne se laissant pas en repos, inquiet, sans cesse, comme le balancier d'une horloge, incapable jamais de s'arrêter. Et Lacan parlait ma langue, le français.

Chacun des deux psychanalystes « pères », Freud et Lacan, aura fondé à l'intérieur de la langue maternelle, sa propre langue. Chacun aura séduit avec ses propres charmes. Le charme de Freud, c'est la conjonction douloureuse de l'être juif et de la germanité autrichienne ; la quête de Moïse et la famille au chaud ; l'exil mystique, l'an prochain à Jérusalem, et le bouillon aux quenelles. C'est la poule bouillie, le « pickle fleisch » et les promenades, le soir, au Prater. Les napperons de dentelle que Martha posait sur les tables, et le souvenir du Père Mort. Et, même s'il résistait à pratiquer la religion de ses pères, en Freud je me reconnais juive.

En Lacan je me reconnais française. Non certes pour des raisons « nationales », mais pour des raisons de culture, où se repèrent, bien au-delà de l'usage de la langue, un univers, un paysage. A la place de la famille, la solitude du philosophe, la nuit, pendant que s'éteint la bougie aux premières lueurs de l'aube, ou au contraire la clameur des foules en place de Grève. A la place du bouillon aux quenelles, le luxe du grand plat dressé et décoré, ou au contraire l'austérité du pain nu, de la cruche d'eau sainte. Plus de Jérusalem, plus de Moïse ; mais la croix janséniste, mais Port-Royal, mais l'ascèse dénudée. Et le rideau d'arbres n'est pas, comme dans les tableaux de Vélasquez, une haie haute qui ferme l'horizon ; mais la ponctuation charmante qui délimite un champ, une rivière, en un pays où l'espace, jamais, n'est immense. Lacan aura réussi à instituer à travers lui la première image plausible du psychanalyste français. Il l'est jusqu'au fond de la langue ; jusque dans sa façon érudite et vieillotte de citer du texte en latin, en grec, en toute autre langue... et sans traduction. C'est bien ainsi que, tout en le gratifiant d'une volée de bois vert, le saluait en 1939 Édouard Pichon, psychanalyste, grammairien et militant distingué de l'Action française, à l'époque sombre où Maurras triomphait, où le Front populaire était puissamment renié, où l'on s'en allait vers le désastre. Édouard Pichon commentait un article que Lacan venait d'écrire sur la Famille[15]. Il le tançait gentiment, en aîné qui espère se faire écouter d'un jeune fou un peu trop lancé. Et lui disait ceci : « *Il ne me semble pas que M. Lacan ait choisi pour son esprit, que toute sa formation, tant héréditaire que familiale et sociale, fait français, une parure qui lui convienne.* » Hommage ambigu : si Pichon reproche à Lacan de ne pas « *appeler la tradition par son nom* » et de se servir trop souvent de termes étrangers, anglais ou allemands, c'est parce que Lacan représente à ses yeux le parfait psychanalyste français. « *Un des esprits les plus brillants de la jeune génération psychiatrique française.* » Français pour trois raisons maurrassiennes, l'hérédité, la famille, la classe sociale. Tout était clair. Mais à travers les flèches décochées, Pichon saluait en Lacan l'usage d'une langue dont, en grammairien, il connaissait bien les détours. Et je sais intimement que Lacan parle ma langue, avec splendeur. Si taraudé soit-il d'érudition étrangère, si piqueté de vocabulaires exotiques, il reste français.

Français, et chrétien ; issu de la bourgeoisie traditionnelle. Oh ! pas les deux cents familles ; mais l'une des bases de l'invariance politique, celle qui possède, un peu, qui cultive l'esprit, beaucoup, et accouche des professions libérales. La langue de Lacan n'est pas « juive » : elle n'accroche pas, elle ne bute pas, elle n'hésite jamais. On n'y rencontre aucune de ces absences fulgurantes qui émaillent les textes issus du hassidisme[16], aucune de ces configurations embrouillées et têtues dont Freud entoure ses découvertes. Dans l'élégance de Jacques-Marie Lacan, dès ses origines, se reconnaît la religion dominante d'un peuple, même s'il n'en peut mais, lui qui écrit. Quand, plus tard, il parle de ses ennemis, c'est en orgueilleux, en martyr, en dignitaire prêt à reprendre le commandement de l'Église. Rien en lui, au cœur du texte, ne craint la persécution, qui le touche ailleurs, pas dans la langue même. S'il troue son discours, c'est à dessein ; s'il bafouille, s'il bégaie, ce n'est pas l'infirmité qui parfois atteint les prophètes d'Israël, c'est la maîtrise totale du jeu des mots. Lacan a l'orgueil du langage : c'est en cela aussi qu'il est français. Rien en lui ne connaît la moindre émigration.

Qu'il soit ou non athée n'a que fort peu d'importance. Ses disciples sont indifféremment marxistes, prêtres catholiques, protestants, juifs. Mais c'est en apôtre qu'il les fouaille. Quand il s'adresse à ses disciples, il les traite avec sévérité, comme l'apôtre Paul ; avec charité, comme Jésus sur la montagne. De ses ouailles, il avait coutume de dire qu'elles se partageaient entre la « bêtise » et la « canaillerie ». Il disait préférer la canaillerie, bien sûr ; mais dans la tendresse que recouvrait parfois le terme de bêtise, se reflétait encore, malgré lui, l'amour porté aux pauvres en esprit. Bienheureux les pauvres en esprit, car le royaume des Cieux leur appartient... Il n'aimait pas la bêtise, mais il la chérissait comme un propagandiste. La fidélité nue représentait une valeur. Et, quand il parle de Freud, il ne peut s'empêcher de le transformer en une figure inspirée, le tirant du côté de la Grèce. Mais aussi du côté de la culture chrétienne, qui a su s'approprier le

mythe grec par l'intermédiaire tout-puissant du syncré-
tisme, et de l'Empire romain. « *Qui aura la naïveté*, dit-il à
propos de Freud, *de s'en tenir, quant à Freud, à cette figure
de bourgeois rangé de Vienne, qui stupéfia son visiteur
André Breton de ne s'auréoler d'aucune hantise de Ména-
des ? (...) Qui mieux que lui avouant ses rêves, a su filer la
corde où glisse l'anneau qui nous unit à l'être, et faire luire
entre les mains fermées qui se le passent au jeu du furet de
la passion humaine, son bref éclat ? Qui a grondé comme
cet homme de cabinet contre l'accaparement de la jouissance par ceux qui accumulent sur les épaules des autres
les charges du besoin[17] ?* » Dans Freud, Lacan cherchait le
prophète ; quant à lui, il parlait en prosélyte. Il disait de
lui-même, dans cette fameuse lettre de dissolution : « *Je
père-sévère[18].* »

Et il persévérait. « *Tu es Pierre, et sur cette pierre je
construirai mon église.* » Souvent cette phrase s'est posée
sur tel ou tel, dans la bouche de Lacan, imprégnée de la
connotation catéchétique : des Pierres successifs furent
appelés à fonder avec lui l'École freudienne. Peut-être
est-ce de son profond esprit du christianisme que Lacan
a pris le terrible goût du jeu de mots.

Au commencement, les jeux de mots n'étaient que ce
qu'ils sont pour tout le monde : une subite déflagration
qui donnait à rire, détendait les corps des auditeurs, et
ouvrait une respiration, analogue au « cric croc » des
conteurs quand ils veulent réveiller les endormis. On
riait. Mais voilà : la psychanalyse ne rit jamais sans
s'interroger sur son propre rire. Freud avait bien expli-
qué la nature du mot d'esprit : c'est l'expression du
refoulé. Lacan, en rénovant la fonction du langage dans
son rapport à l'inconscient, rendait manifeste le moindre
découpage du sens, que Freud n'avait fait que décrire
avec précision. La moindre duplicité des mots lui four-
nissait l'occasion, dans son séminaire, de faire comprendre le travail de l'analyste : interpréter, c'est jouer sur les
mots. Entendre « ris d'eau » dans rideau, et père sévère
dans *« persévère[19] ».* Au commencement, le jeu de mots

servait aussi d'exemple. On riait, puis on comprenait ; on se taisait alors, et on réfléchissait.

Un jour vint où le jeu de mots se donna tout seul. Libre de toute entrave, capable encore de faire rire, mais déjà cela ne sonnait plus comme avant. Lacan, dans les derniers temps de son séminaire, ne parlait plus qu'en jeux de mots. Cela devenait un festival, une lubie, un feu d'artifice éblouissant. Des fusées partaient en tous sens. Et le sens s'évanouissait.

Lacan s'est toujours battu contre l'inflation du sens et de la compréhension : il disait, à juste titre, que l'inconscient n'a pas de sens. L'inconscient n'est pas orienté vers un but : il joue, il se pose là. Lacan donc détestait les philosophies du sens, il en déchiquetait les données. Tant et si bien qu'à force de ne rien vouloir dire qui fût « sensé », il en est venu à *dire*. Tout court. A énoncer, les mots se jouant. Et, comme dit le bon peuple, cela ne « *voulait* » plus rien dire ; sans queue, ni tête. Insensé. Ludique. Lacan devenait la bête pharamine du langage : diabolique d'habileté et de malice, il découpait le langage en bribes dont chacune causait un brin, immédiatement recouverte par l'effet de la suivante. La pensée, crucifiée par le jeu des mots, expirait.

L'étonnant restera que ses disciples, toujours les mêmes, les bêtes et les canailles ensemble, aient suivi le train. Et se soient mis à tenter d'en faire autant, sans la maîtrise de Lacan, sans la respiration poétique et le sens de la ponctuation, dont il a le génie, et qui, même aux pires moments, ne l'ont jamais abandonné. Le résultat restera inscrit dans l'histoire des aberrations. Témoin ce petit chef-d'œuvre signé Danièle Arnoux :

« *Le mot d'esprit dont Lacan a soufflé son École, elle — si on peut dire — le lui soufflait, l'impératif, dis ! Elle qui se croyait une, perdue, dis de retrouvé* [20]. »

Etc.

Ce n'est pas très éloigné de Lacan. A un cil près. A un siècle près. A la rhétorique près. Ce qu'un seul, pourvu qu'il soit poète, peut se permettre, les autres ne peuvent l'imiter qu'au risque du ridicule. Ils y sont tous tombés. Comme ils étaient tombés dans les nœuds, les cercles, les bouteilles et les bandes. Et dans le chinois, dans Aristote, dans Platon, dans Hegel, au fil des références qui parsemèrent la pensée du maître. Le jeu de mots perdit son essence, comme les mathématiques perdirent la leur : il n'eut plus rien d'explosif, mais à la place, il devint une habitude sérieuse ; monstrueuse. Car Lacan fabrique des monstres, au sens propre du terme ; des êtres détournés de leur fonction. Des êtres de langage. Le monstre, ce croisement biologique inhabituel, est aussi ce qu'on montre, en laboratoire, en tréteaux de foire, en amphithéâtre de médecine ; peu de chose sépare le monstre du mutant de la science-fiction. Peu de chose sépare aussi le monstre de l'exclu : l'hystérique est monstrueuse, comme fut la sorcière avant elle. Parler des monstres lacaniens, c'est inscrire son œuvre dans la tradition des alchimistes ; dans celle des sorciers, ou des militants de la folie. Le jeu de mots était devenu un monstre de langage.

Souvent, les lacaniens sont des monstres. Les Golem de cet alchimiste social. Des automates animés par un souffle qui n'est pas le leur.

Pas tous. De génération en génération, se retrouvaient les mêmes. D'un côté, les anciens, les vrais, les seuls fidèles : semblables à eux-mêmes, ils poursuivaient leurs chemins, leurs recherches, parlaient leur ~~propre langue~~. Seuls leurs cheveux un peu plus blancs chaque année signalaient que le temps passait. Ils s'appellent Françoise Dolto, Serge Leclaire, Lucien Israël, Octave et Maud Mannoni, Paul et Gennie Lemoine, pour les plus connus d'entre eux.

Les autres changeaient, et répétaient, selon leur date d'arrivée, les manières présentes du maître. Ils partaient, ensuite. Et poursuivaient leur errance ailleurs, un peu hagards parfois d'avoir perdu leur « Autre ». Certains ne s'en sont jamais remis. C'étaient eux, les monstres, étonnamment semblables à travers ce parcours des générations : infiniment sérieux, infiniment mimétiques, ils vivaient dans un monde unique et clos. Bien sûr ceux qui restaient fidèles à eux-mêmes plus qu'à Lacan, étaient « normaux ». Mais qui sait si les vrais fidèles ne restaient pas justement ces monstres enfantés par une parole, par une pensée ?

Quand vint la dissolution, il y eut des « monstres » pour se dissoudre sur-le-champ, comme il le demandait. Que la lassitude de Lacan puisse s'adresser à eux, voilà qui ne semblait pas leur effleurer l'esprit. Ils se fabriquèrent un bouc émissaire à évacuer en la personne de Françoise Dolto, qui s'en tenait tant bien que mal à une position pourtant logique. Être fidèle à Lacan, disait-elle, c'était le laisser libre de sa décision mais pas de se renier lui-même ; il fallait donc approuver son départ mais refuser la dissolution de l'École. Haro sur l'ânesse : *delenda est* Françoise Dolto. L'alchimiste demandait la dissolution du cristal qu'il avait lui-même produit. Le sorcier cassait ses jouets, ses poupées de cire. Sa religion privée ne lui suffisait plus. Monstrueux et splendide : tout s'inversait. Monstrueux et fascinant. Il y a de la sorcellerie là-dedans.

Il y a de la sorcellerie, et de l'enseignement. Les fables multiples, qu'elles soient païennes, antiques, héritées de la Grèce et de Rome, qu'elles soient plus secrètement chrétiennes, les jeux de mots à l'infini, les citations en chinois, tout cela forme les facettes du même prisme : le style de Lacan. Incompréhensible, difficile, ésotérique, obscur. Clair-obscur, il se tient toujours dans ce qu'il a appelé lui-même le « midire ». Puisqu'on ne peut vraiment pas la dire toute, cette sacrée vérité... Cette obscure clarté rejoint une tradition française qui ne date pas d'hier : on la trouve dans Maurice Scève, on la rencontre dans Mallarmé..., autant de poètes. Voilà l'essentiel du travail de Lacan. Et, même s'il est de parole, c'est aussi un travail d'écrivain.

5. Carence de la culture

« *Le style, c'est l'homme... à qui l'on s'adresse* », avertissait Lacan en ouverture de ses *Écrits*, qui rassemblaient ses textes prononcés depuis les années 30. Façon de faire comprendre qu'il n'existe pas d'écriture autonome ; la contrainte vient autant du destinataire que du producteur. De ce tragique malentendu, qui fait la fonction essentielle du langage, vient tout l'enseignement de Lacan. Le langage produit du mal-entendu : toute la psychanalyse, dans sa pratique, repose sur sa capacité d'entendre autre chose que le dire du patient. D'entendre, dans le sens conscient qu'énonce celui qui parle, les découpages produits par l'inconscient. Il s'agit donc de *préméditer* le malentendu. Interpréter revient à se tromper exprès : je dis « Barbara », il ou elle entend « Berbère ». Il ou elle aura raison d'entendre barbare, si mon père est d'origine kabyle et que ma mère est bretonne : c'est ainsi qu'il me permettra de renouer, à travers « Barbara », la chanteuse, les fils de ma barbarie refoulée[21].

Soit donc une pratique thérapeutique fondée sur le malentendu : comment l'enseigner ? Lacan n'a cessé de jouer son style dans cette dissonance. Et de perfectionner en même temps la notion du style. « *Tout retour à Freud qui donne matière à un enseignement digne de ce nom, ne se produira que par la voie, par où la vérité la plus cachée se manifeste dans les révolutions de la culture. Cette voie est la seule formation que nous puissions prétendre à transmettre à ceux qui nous suivent. Elle s'appelle : un style[22].* »

Déduisons ; un style touche aux révolutions de la culture. Banalité : tout écrivain doté d'un style véritable change la langue, et donc change une part de la culture. Mais le psychanalyste ? Il n'a rien, par fonction sociale, qui touche à l'écrivain. On pourrait au contraire penser qu'il entend, avec cette « troisième oreille » dont parlait

43

Théodor Reik à propos de ce malentendu nécessaire, le commun du langage. Et s'il l'écoute de travers, en changeant les phonèmes de place, c'est un rapport fugitif, qui n'est pas destiné à durer au-delà du temps de la cure. Dans cette phrase de Lacan le psychanalyste compte moins ici que l'enseignant.

Mais enseigner quoi ? De cette question naïve, indéfiniment ressassée depuis Freud, les psychanalystes ne sont pas encore sortis. Que peut enseigner un psychanalyste à ses collègues ? Rien. « Normalement », rien, puisque cette pratique, la psychanalyse, ne s'apprend que sur le divan d'un autre analyste.

Vous voulez devenir psychanalyste. Vous commencez par croire, puisque nous sommes en France, qu'« il y a des écoles pour ça » : ce serait bien le diable, tout de même ! Alors vous cherchez. Vous allez voir des professeurs dans les universités : s'ils sont honnêtes, ils vous diront qu'il y a bien ici ou là un enseignement sur Freud, sur l'inconscient, ou sur la psychanalyse. Et puis, d'un air gêné, ils lâcheront le morceau : ce n'est pas ainsi qu'on devient psychanalyste. Mais comment, alors ? Eh bien, il faut faire une psychanalyse soi-même. Catastrophe : vous aviez pensé à tout, sauf à cela. Neuf fois sur dix le candidat à l'enseignement de la psychanalyse fuit à toutes jambes : il avait cherché une école pour s'épargner un divan. Le dixième commencera la quête du Graal, cherchera autour de lui et en lui-même de quoi se donner le courage d'« y » aller ; et ira. Causera sur son petit divan pendant quatre ou cinq ans ; et, si vraiment il veut encore devenir psychanalyste, il sera obligé d'entrer, mais à ce moment-là seulement, dans une école.

Qui ne lui servira donc surtout pas à apprendre la pratique de la psychanalyse, puisqu'il l'a apprise, côté patient, sur son divan à lui. Qui lui servira à tout autre chose. D'abord, à ne pas être tout seul : c'est important. Ensuite à parler de ce drôle de métier avec ceux qui déjà le pratiquent, et avec ceux qui aspirent à le pratiquer : cela tient chaud de savoir qu'on bafouille à plusieurs.

L'école lui servira enfin à retourner à l'université : pas la vraie, mais une université parallèle où il suivra des « séminaires ». Le mot est beau ; voici longtemps qu'il a fait recette pour remplacer le mot « cours magistral », voué aux gémonies et aux oubliettes réunies. Mais il ne faut pas se tromper : si les « cours magistraux » ont évolué, les « séminaires », où le maître et l'élève ont part égale, ont évolué aussi. Les cours sont devenus des parlotes à plusieurs entre maître et élèves, cependant que, dans un mouvement exactement contraire et symétrique, le « séminaire » tendait à la parlote d'un seul. Oh, comme ils ont bien su accaparer la fonction magistrale, nos copains psychanalystes !

Donc notre apprenti psychanalyste — qui continue à causer sur son petit divan, mais qui commence à en savoir un peu plus long sur la règle du jeu — suit des séminaires. Dans le même temps, par un jeu compliqué de copinage, de connivences et d'initiation, il écopera de son premier client. Il entrera alors — s'il est sérieux — en « contrôle » ; c'est-à-dire qu'il ira raconter à un autre psychanalyste comment cela se passe. Ce qu'il fait ; ce qu'il entend. Jusque-là, c'est un système de transmission tout à fait différent de la transmission laïque et obligatoire de l'enseignement français, où l'on hérite d'un savoir constitué avec des livres, des règles, qui peuvent, le cas échéant, s'apprendre en l'absence d'un professeur. La transmission analytique ressemble à celle des griots africains, à celle des sorciers de tout l'univers : par initiation des plus vieux aux plus jeunes. On peut dire cela en termes savants : la psychanalyse est une des rares disciplines où la théorie s'apprend en même temps que la pratique. Pour ne pas dire : sur le tas. Mais, pendant tout ce temps, notre bonhomme-psychanalyste apprend, dans son cabinet, en tremblant, à écouter sans piper mot ; à piper mot de temps à autre ; à ne pas crever de peur quand on l'agresse ; à n'être pas trop submergé par ce que le patient lui rappelle de son histoire à lui. Et il va par ailleurs au séminaire. Pas seulement au séminaire de Jacques Lacan, qui serait plutôt un cas particulier.

Que va apprendre ce bon jeune homme, cette brave jeune femme ? De l'histoire. L'histoire de cette discipline toute neuve — quatre-vingts ans, ce n'est pas si long — fondée par Freud. Alors il va lire Freud. Relire Freud. Et les autres. Se frotter, peut-être, au vocabulaire de la psychiatrie, la voisine la plus proche et aussi la plus terrible ennemie du psychanalyste. Il va lire beaucoup. Somme toute, il va se cultiver. Et c'est là qu'intervient Lacan. Je ne l'avais pas oublié : il nous attendait au tournant.

Du temps de Freud, les psychanalystes aussi se cultivaient. Par goût de la communauté. Ils se penchaient sur la mythologie grecque ; glosaient sur l'avenir du monde ; patrouillaient dans les sentiers à peine ouverts de l'ethnologie. Ils étaient tous des gens passionnants : lisez *Imago*, la revue de psychanalyse appliquée, vous y trouverez l'expression d'une culture extraordinaire et d'une vraie recherche. Et puis, vint la seconde guerre mondiale. En France, la psychanalyse n'était pas grand-chose. Il y avait encore quelques séquelles de la première percée, mais on ronronnait. Aux États-Unis, en revanche, cela allait plutôt bien. L'univers psychanalytique international, nourri de l'émigration suscitée par le nazisme, parlait un langage fait pour une part d'allemand, pour une part d'américain. Le « Ich », le « Self » se mêlaient joyeusement ; et la culture était loin derrière. Pourtant, les psychanalystes émigrés étaient, eux aussi, des gens de valeur. Mais le terreau américain bouffait tout, dans un brassage qui réduisait le passé à néant.

Toute l'histoire de Lacan peut se raconter à partir de la carence d'une culture. L'envahissement de l'Europe par les cigarettes blondes. Les effets de culture dérivés du plan Marshall ; et le retour en force, par Américains interposés, de la psychologie la plus molle.

Lacan, lui, citait Hegel, mais aussi Molière, Victor Hugo, les poètes : on crut rêver. Déjà avant la guerre, il avait pris ces mauvaises habitudes : il écrivait des poèmes, des articles dans la revue *Le Minotaure* aux côtés de Michel Leiris l'ethnologue, d'Éluard l'écrivain, de Georges-Henri Rivière le folkloriste, il fréquentait les surréalistes... Bref, il était « littéraire », malgré sa formation très classique de psychiatre.

L'histoire aurait pu s'arrêter là : le monde médical regorge d'êtres d'élite bourrés de culture, comme Jean Delay, ce psychiatre qui écrivit sur Gide et qui termine sa vie en historien du XVIIᵉ siècle²³. Ce ne fut pas l'histoire de Lacan. Il commença à enseigner. Pas tout seul ; mais le seul à parler du langage. Tout se compliqua. Car, à la tradition cultivée de la psychanalyse telle que la concevait Freud — beaucoup de mythologie, un peu d'histoire, surtout pas de politique, un zeste de littérature, un soupçon de peinture, et un supplément d'âme —, il ajouta la linguistique, les langues dites étrangères, les mathématiques, la logique, et la philosophie. Écouter Lacan demandait d'énormes connaissances ou d'énormes capacités de documentation ; les disciples lisaient comme des fous. On peut lui reprocher bien des choses, mais pas d'avoir fait baisser le niveau de culture de ses ouailles.

Quand il se mit à parler du langage, intervint la notion de lettre. Il disait, c'était logique, que le psychanalyste se doit d'être un « *lettré* ». Mais il ne l'entendait pas seulement au sens érudit du terme. Un « *lettré* », c'est aussi quelqu'un qui a le sens de la lettre. La lettre de l'alphabet, la bonne et vieille lettre a, b, c, etc. L'élément le plus petit de notre langue ; la « *structure essentiellement localisée du signifiant*²⁴ ».

Le revoilà, ce signifiant qui tend à devenir le sigle même de la pensée lacanienne ; et pourtant, le terme ne lui appartient pas. Il appartient à Ferdinand de Saussure, qui, dans les années 1906-1911, tenait, lui aussi, séminaire. A lui aussi, il arriva que ses disciples réunirent ses discours dans un livre, qui devint le *Cours de linguistique générale* : c'était la belle époque des bibles théoriques fondatrices.

Est signifiant le matériel même du langage : lettre, signe, virgule, point, phonème. Est signifié ce à quoi renvoie le signifiant. Bête comme chou : sauf à dire que déjà, si j'écris «bête comme chou», je joue sur des registres où le chou n'est plus simplement le légume de la potée auvergnate, mais autre chose ; une idée de gonflement et de naïveté où se reconnaîtra quelque chose de la bêtise.

Ce n'est pas du chou que partit Lacan pour ouvrir les oreilles de ses auditeurs à la sournoiserie du signifiant et du signifié, mais des portes de chiottes. Sur lesquelles sont écrits les mots : «Hommes» ou «Dames», alors que, dans la réalité des cabinets, ce sont deux portes rigoureusement identiques. Et les petits enfants dans un train, que Lacan appelle alors à la rescousse, à l'arrêt d'une gare, revendiquent chacun leur porte : «*Tiens, dit le frère, on est à Dames ! — Imbécile, répond la sœur, tu ne vois pas qu'on est à Hommes*[25].» Chacun son regard, chacun sa porte : celle qui désigne le sexe de l'autre. De cette Dissension (majuscule authentifiée dans les *Écrits*), Lacan va sortir une épopée. «*Hommes et Dames seront dès lors pour ces enfants deux patries vers quoi leurs âmes chacune tireront d'une aile divergente, et sur lesquelles il leur sera d'autant plus impossible de pactiser qu'étant en vérité la même, aucun ne saurait céder sur la précellence de l'une sans attenter à la gloire de l'autre*[26].» Voici, en quelques lignes démesurément stylisées, la guerre des sexes, la répartition des hommes et des femmes dans la culture, à partir des «*lois de la ségrégation urinaire*». Et voilà bien le psychanalyste : travaillant sur le matériel le plus trivial, il entend la noblesse de la légende et la force du mythe. Rejoignant les trouvailles de l'ethnologue, le psychanalyste sait qu'il n'y a pas de différence entre le noble et l'ignoble : lisez les *Mythologiques* de Claude Lévi-Strauss, vous y trouverez la création du monde à partir de l'urine d'une grand-mère, et de pets suffocants dont elle empoisonne le héros démiurgique. Et, quand les historiens se mirent à la «psychologie historique», pour déshabiller la Grèce du manteau pudique et grandiose que lui avait jeté sur le corps le XIXe siècle, ils trouvèrent les rognures, les déchets, les coulées de lait, les mauvaises odeurs. Être cultivé : savoir les envers de la culture, que des siècles de littérature scolaire avaient soigneusement cachés.

Or le signifiant est le plus petit élément du langage ; et il obéit à deux lois : se réduire à un élément différentiel ultime, et se composer selon des règles fermées. Le signifiant ne saurait être isolé ; il entraîne son voisin, et le voisin du voisin, ainsi de suite jusqu'à l'unité suivante, le mot, la phrase. Quant au signifié, il ne peut être assigné à tel ou tel signifiant, mais il glisse, de l'un à l'autre, et ce glissement se nomme le sens. Un pas de plus, et nous serons, aux côtés de Lacan, dans le domaine réservé de la rhétorique : la science des figures du langage. La rhétorique est l'art du style ; nous y retrouverons le cœur de l'enseignement.

Le pas est déjà franchi : bête comme chou, hommes et dames, ou cet exemple que Lacan développe superbement, celui du mot *arbre*. Soit un *arbre*.

« ... *décomposé dans le double spectre de ses voyelles et de ses consonnes, il appelle avec le robre et le platane les significations dont il se charge sous notre flore, de force et de majesté. Drainant tous les contextes symboliques où il est pris dans l'hébreu de la Bible, il dresse sur une butte sans frondaison l'ombre de la croix. Puis se réduit à l'Y majuscule du signe de la dichotomie qui, sans l'image historiant l'armorial, ne devrait rien à l'arbre, tout généalogique qu'il se dise. Arbre circulatoire, arbre de vie du cervelet, arbre de Saturne ou de Diane, cristaux précipités en un arbre conducteur de la foudre, est-ce votre figure qui trace notre destin dans l'écaille passée au feu de la tortue, ou votre éclair qui fait surgir d'une innombrable nuit cette lente mutation de l'être dans l'* "Εν-Παντα" *du langage*[27]... »

Voici Lacan, dans toute sa splendeur rhétorique. Jouant sur le « r » et convoquant le robre, sur le « a » et convoquant le platane, et n'oubliant pas que nos arbres ne poussent pas dans la savane : le baobab n'aurait pas convenu. Jouant sur le christianisme et l'arbre de la croix ; sur l'anatomie qu'il a apprise à l'école de la psychiatrie, sur la chimie, sur les associations d'images inspirées par Roger Caillois, et rappelant la tortue, le mimétisme animal ; terminant enfin, non sans passer par l'expression grecque qui signifie l'essence et le Tout, par un vers poétique. Tout cela dans un *arbre* : le glissement du signifié, voici qu'il le fait vivre. C'est, dit-il, du *mot à mot*. A lire en traduction simultanée. Cette figure porte, dans la rhétorique, le nom de métonymie. Tout près de la métonymie, la métaphore : non plus mot à mot, mais un mot pour un autre. Non plus « *l'arbre de la croix* », mais l'arbre *à la place de* la croix : la partie pour le tout, le bois de l'arbre pour le corps qu'il supporte, et le sens qu'il entraîne. Quand je vous disais qu'il s'agissait, dans cet enseignement, du style. Et de la capacité à jouer de toutes les cordes d'une culture, comme d'une harpe immense, d'où sortent, en résonance, des harmoniques.

6. *Comédien et martyr*

Or, s'il parla très vite une admirable langue, qu'on peut trouver difficile dans son extrême recherche, mais qui sera toujours parfaite, il lui arriva de n'être plus qu'un rhéteur. Lacan connut, dès avant la guerre, une période inventive : il inaugurait des observations inédites, il construisait un système de concepts nouveaux. Ce fut assez tôt fait : lorsqu'on relit les textes des années 30, on y découvre, en latence, l'essentiel de la théorie qui se développera plus tard dans toute son amplitude. Vint un moment où Lacan commença à n'inventer plus. Et, au lieu de forger des concepts, il les traduisit dans des langues multiples : travail de rhéteur. Le signifiant n'est pas un concept lacanien ; la métaphore, la métonymie ne sont pas des concepts forgés par Lacan ; et même le « mathème », l'une de ses dernières trouvailles, dérivera de la logique mathématique. Non, Lacan ne fut pas inventeur de système ; il fut bien davantage ce rhéteur habile à transposer le vocabulaire de la psychanalyse en d'autres langues que la langue-Freud.

Et la rhétorique l'aura débordé au point de lui entraver l'imagination conceptuelle : avant 1964, tout est déjà dit. Et 1964, c'est la date à laquelle il se fait exclure de l'Association internationale de psychanalyse. Gravement mis en cause, il aura mis plus de dix ans à fonder sa propre École. Mais dès lors, Jacques-Marie Lacan commence à devenir « Lacan » ; les temps ne sont plus loin où il pourra parler de lui à la troisième personne. Plus il existera comme leader, plus son travail de rhéteur se perfectionne. De la rhétorique, il passera à l'exercice purement jubilatoire, au jeu de mots compulsif. Chemin logique. Le langage aura eu raison de lui. Saint Lacan, comédien et martyr.

Car, si la persécution intime que Freud montre en certains de ses textes ne se trouve pas dans ceux de Lacan, s'y rencontre, éclatante, la palme du martyre. Mais ostentatoire, déclamatoire, criée, soutenue par la clameur des disciples. Il y eut un numéro spécial de la revue *Ornicar ?* (Mais-où-et-donc-or-ni-car-) intitulé « *L'Excommunication*[28] ». Lacan-Galilée, Lacan-Giordano Bruno, Lacan-sainte Blandine dans la fosse dont les lions se trouvaient être les psychanalystes français et ceux d'outre-Atlantique. Sa fonction de rhéteur l'y oblige. Car les autres, ceux des savantes sociétés où l'on ruminait Freud en rond, n'avaient point autant que lui le souci de transmettre. Lacan fut le premier à chercher véritablement par quel moyen il pouvait transmettre un impossible enseignement. Le piège se refermait.

Il continuait à pourchasser la vérité. Celle qu'on ne peut pas dire toute. Elle revient sans cesse ; quand il l'employa pour la première fois, le terme de vérité courait peu les salons psychanalytiques. Freud ne l'emploie guère. On parlait surtout de réalité, ce qui n'a pas grand-chose à voir. Notre Lacan se met à parler *au nom de* la vérité. Non pas *de* la vérité ; mais *à sa place*. Il se met à tenir le discours de la vérité, morceau d'anthologie conçu comme une prosopopée : un texte ou un concept prend la parole. Platon mettait dans la bouche de Socrate une prosopopée des Lois, où elles défendaient leur nature de loi. Lacan donne la parole à la vérité, comme Bossuet pourrait la donner à la mort. « *Je suis donc pour vous l'énigme de celle qui se dérobe aussitôt qu'apparue, hommes qui tant vous entendez à me dissimuler sous les oripeaux de vos convenances... Moi, la vérité, je parle*[29]. » Tel est le début. La fin glisse vers le terrible jeu de mots : à la lisière de la création et du radotage. « *Entrez en lice à mon appel, et hurlez à ma voix. Déjà vous voilà perdus, je me démens, je vous défie, je me défile : vous dites que je me défends*[30]. » Plus tard, il reprendra les *défilés* en parlant du signifiant ; le *défi*, le *démenti* évoquent ce que Freud nommait dénégation ; et la *défense* est un terme classique dans le vocabulaire portatif du parfait petit psychanalyste. Mais notre apprenti de tout à l'heure, il y a beau temps qu'il est largué.

Il ne s'y retrouve plus. Il vient pour écouter du Freud, et apprendre ce jargon germanique qui, d'un futur analyste, engendre un puits de science. Il entend parler de métaphore, il avait oublié cela depuis le lycée. Il entend parler de Bossuet, il ne l'avait jamais lu. Il entend parler de linguistique, il n'en connaissait rien. Et voilà que la vérité en personne lui parle : elle n'a rien de nu, elle n'a pas de miroir à la main, elle a les yeux ouverts, et c'est un petit homme las qui la lui raconte. Si la magie opère, le jeune psychanalyste entre dans un monde nouveau : celui de l'apprentissage de sa propre culture. Le même qu'il avait connu au lycée, sauf à dire qu'il vient là de son plein gré. Avec délices, il retourne à l'école. Il se recycle. Impossible de nier qu'il s'agisse d'un véritable enseignement. Mais savoir si cet enseignement est bien de psychanalyse... La seule garantie que Lacan en donne semble d'une extrême fragilité : il est lui-même psychanalyste.

Oh ! oui, fragile garantie. Il n'a cessé de le dire, répétant sur tous les toits que nul ne pouvait assumer cette garantie sans péril. Qu'il n'était pas le « *au-moins-un* » psychanalyste, le seul qui, le seul que, bref, le label « psy » en personne. Et, pour se défendre — mais le piège continuait de se refermer — il appelle cette garantie tout illusoire « *le sujet-supposé-savoir* ». Lui, et en sa personne, tout psychanalyste : on lui suppose le savoir. Il faut bien dire qu'il ne fait rien pour faciliter la tâche de l'apprenti. Pensez, à force de citer du grec sans traduire, les plus malins finissent par le trouver érudit ; et il l'est. A jouer la comédie du langage, il gagne le martyre du saint. Sartre dans *Saint Genet, comédien et martyr*, a fort bien éclairé cette forme particulière de passion.

Saint Genet — l'authentique — fut acteur, dans la période mythique où les empereurs romains aimaient à nourrir les lions de leurs arènes avec des chrétiens. Il fut acteur, et bien païen. Jusqu'au jour où il dut jouer le rôle d'un chrétien, devant un empereur. La grâce le touche ; il se convertit. Il éprouve les plus grandes difficultés à convaincre l'empereur qu'il ne joue plus son rôle : bien sûr, un acteur, on l'acclamera seulement comme un génie du théâtre. Il n'y parviendra qu'en interprétant le rôle « pour de vrai » : et jouera son martyre jusqu'à la mort pour prouver qu'il ne jouait plus. Saint Genet — le second, Jean Genet l'écrivain — devint voleur et homosexuel parce qu'une voix l'avait surpris, de dos, la main dans un tiroir : « Tu seras le voleur. » Il le devint. Lacan aura subi la même passion. « Moi, la vérité, je parle » ; ce ne fut qu'une prosopopée ; ce devint, au regard des autres, une vérité en première personne. Tu seras Lacan : il l'est devenu.

Le discours de la vérité se terminait par une définition du psychanalyste fort dangereuse. Le psychanalyste s'y comparait au personnage d'Actéon, coupable d'avoir surpris au bain — toute nue — la chaste déesse Artémis ; interdite, la déesse l'avait transformé en cerf, sur-le-champ, et, sur-le-champ, les chiens de la déesse le dévorèrent. « *Actéon, trop coupable à courre la déesse, proie où*

se prend, veneur, l'ombre que tu deviens, laisse la meute
aller sans que ton pas se presse. Diane à ce qu'ils vaudront
reconnaîtra les chiens [31]*...* » Une fois passées les allusions à
Mallarmé *(L'Après-midi d'un faune)* et à l'Inquisition domi-
nicaine face aux hérétiques cathares (« Tuez-les tous,
Dieu reconnaîtra... les siens »), notre apprenti psychanalyste se trouve appelé à être déchiré à belles dents par
une meute appropriée. Passion païenne ; passion chrétienne. Ce « Prenez et mangez, ceci est mon corps »
s'inscrit en latence dans le discours d'un homme qui ne
cesse de s'en défendre. D'où les sursauts d'intégrité. D'où
le sujet-supposé-savoir, qui, justement parce qu'il est
supposé, ne sait pas plus qu'un autre. Et « *S'il arrive que*
je m'en aille, dites-vous que c'est afin-d'être Autre enfin. »
Être enfin Autre : sortir de la passion. Mais c'est plus fort
que lui ; il sera à nouveau dilapidé.

L'apprenti persévère. Il y a dans l'École freudienne des
saintes Véronique, qui essuient la Sainte Face avec un
linge propre, et pleurent de joie à chaque étape. Il y a des
Joseph d'Arimathie, qui prêteront le tombeau, le local, le
fric. Les saintes femmes, et saint Jean, le bon à tout faire ;
le soldat romain — le dernier converti. Et aussi, les
disciples de la veille qui se partagent la Toison d'or.
L'apprenti mettra longtemps à comprendre qu'il s'agit
nécessairement d'un rendez-vous manqué.

Lacan le dit lui-même, en dissolvant son École : elle
était devenue le lieu des reconnaissances ratées. « *Tel le*
rendez-vous célèbre des amoureux lors d'un bal à l'Opéra.
Horreur quand ils laissèrent glisser leur masque : ce n'était
pas lui, elle non plus d'ailleurs [32]. »

La vérité, elle aussi, est un rendez-vous manqué. Reve-
nons à la *lettre*. Et à l'*arbre*. Le sens, donc, y glisse.
Parfois, Lacan comparait ce travail au jeu du furet, qui
circule de main en main sans que l'on sache où il est. La
définition que Lacan donne de la vérité n'est pas seulement mystique, contrairement à ce que cette prosopopée
pourrait faire croire. Elle est le rapport entre un sujet et
l'inconscient : impossible à saisir. Toujours déjà décalé.

Dans les philosophies classiques, on trouvera, ici et là, un point fixe qui assurera le repos de l'esprit et fera de la vérité un rapport stable : avec l'objet connu, avec le sujet qui connaît, avec la Raison, avec l'Histoire. Mais, s'il s'agit d'inconscient, plus rien n'est garanti. Lacan tire le tapis sous les pieds des philosophes : ne reste plus aucune certitude. Sinon celle d'une parole risquée, d'un réel impossible, d'un destin toujours déjà scellé. Actéon était au rendez-vous, comme homme ; il devint cerf, et manqua le rendez-vous. D'ailleurs ce n'était pas lui, elle non plus : Lacan, comme Descartes, s'avance masqué, mais sous le masque, il n'y est même pas.

7. L'homme au squelette de fer

Me voici donc à la recherche d'un fantôme. Que Lacan soit l'objet de toutes les projections, il n'est que trop évident ; et je n'ai pas caché les miennes. En voici une ultime, qui les rassemble toutes.

Dans la lointaine Sibérie, où vivent les tribus yakoutes, existent des shamans. Ce sont des sorciers, investis de pouvoirs très normaux pour des sorciers. Leur formation est si particulière qu'elle est devenue exemplaire : peu ou prou, toute initiation s'y rapporte. Vous me voyez venir avec mes grandes plumes sur le corps. Pour devenir shaman, il faut voyager. Pas comme l'apprenti petit homme qui, dans l'Europe des Lumières, prenait sagement la diligence et circulait vraiment. Non, ces voyages-là se font sans bouger ; ils sont autrement dangereux, la meilleure preuve, c'est que vous les retrouverez dans le vocabulaire des « junkies ». Et c'est bien avec des drogues que les futurs shamans s'en allaient vers leur destination. Détail à ne pas perdre de vue : ils avaient, eux, une destination. Au pays des ombres, aux Enfers, dans l'Autre monde, le shaman se transformait en oiseau au squelette de fer. Il revenait chez lui, incorruptible, invulnérable, et donc, à l'image du ringard torero andalou, immortel. Dès lors, tout lui devenait possible. Mais deux ou trois choses que l'on sait des shamans méritent d'être considérées de près. Leur capacité androgyne : le shaman peut se travestir sans déchoir ; mieux, il portera robe de femme, transcendant son sexe. Leur fonction drolatique : le shaman est un amuseur public. Leur pouvoir de parler dans les langues inconnues comme les nonnes possédées du diable dans notre XVIIᵉ siècle. Leur étonnant pouvoir d'agir sur leur propre corps : acrobaties, lévitations, stigmates, tout un attirail de funambule, de magicien. Leur fonction thérapeutique, enfin : en agissant sur leur corps, ils guérissent celui des autres. Et ils sont dépositaires de la langue, de la culture de leur peuple.

Du shaman, Lacan n'avait aucun des caractères physiques. Il les a tous transposés sur le terrain du langage. Acrobaties, lévitations, stigmates poétiques, tout l'attirail s'y trouve. Travesti, il trouvera dans les délires de femmes une passion de la langue qui ne le quittera plus ; il s'identifie à leurs supplices, à leurs affres. Incorruptible, invulnérable, sujet-supposé-savoir, il semblait hors d'atteinte, prêt à renaître à tout moment. Voyageur en terres langagières, étrangères ou passées, dépositaire de la langue et de la culture du peuple des psychanalystes, même si ceux-ci le renient — « meglio ancor ». Thérapeute, agissant sur son propre langage, et, partant, sur le langage des autres. Drolatique, il fit rire, il joua. Rigoureusement a-normal comme doit l'être l'homme au corps d'oiseau, doué d'un squelette de fer. Boiteux, mal foutu, héroïque et dérisoire, grandiose et ridicule, avec ses plumes sur le corps et son nœud papillon. Sautillant de place en place pour échapper à son destin : archaïque, rétro, désuet — intemporel.

Anachronique. Il l'était de toute éternité. Il le fut encore bien davantage quand la belle période des sciences humaines, celle qui vit fleurir cent idées, se vit reléguer au rayon des antiquités par la philosophie des droits de l'homme, faute de mieux. Là où l'on enseignait structure, science, savoirs, histoires, on n'entendit plus que morale. Le langage de Lacan ne pouvait plus se faire entendre quand la France s'enfonçait dans une langueur nationale, et quand son mythe libertaire, vainement réchauffé aux feux d'un romantisme aux idées courtes, s'éteignait. La vraie mort de Lacan fut sans doute la surdité de cette époque.

Mais le shaman doit « mourir » à son corps d'homme pour ressusciter oiseau. « *Si le grain ne meurt...* », disait l'autre shaman. En conduisant la psychanalyse, d'une main sûre, du côté du langage, Lacan lui faisait subir une mortelle épreuve initiatique. Car il n'était pas sûr que les psychanalystes eussent la tête assez solide pour accéder au squelette de fer. Or un shaman raté devient simplement un pauvre d'esprit. Et autour de Lacan, l'espace en est rempli, partagé entre les malins et les sots. Plus malins qu'ailleurs, mais aussi beaucoup plus sots.

Lacan-shaman, lui, n'a cessé de « mourir », à chaque étape de sa passion. Il faut maintenant la conter en son long, comme ces légendes dont on ne sait plus très bien qui vous les a dites, un soir qu'il faisait si froid. Il faut partir des origines, quand rien ne laissait présager l'étrange destin d'un sorcier perdu dans un temps qui ne connaissait plus rien de ses anciennes coutumes, et qui le prit pour un clown. Ce n'est pas une histoire pour la France d'aujourd'hui. La preuve, c'est que le journaliste d'*Actuel* n'aura pas réussi, comme il le voulait, à écrire la vie de Lacan comme Plutarque celle des hommes illustres. La rumeur lui a transmis la part grotesque du shaman vieilli. Et à la place de Plutarque, et de ses grandeurs, c'est Suétone, et Agrippine branlant Néron dans sa litière. Lacan le disait lui-même, à propos de Claudel : le sublime est à un jet de pierre du grotesque.

Il ne croyait pas si bien dire.

CHAPITRE II

LE CHEMIN DES DAMES

Le temps de la psychiatrie ; les délires féminins, leurs séductions ; les défenses masculines, et le coup du miroir.

1. *Du style, une fois de plus ; et de la folie des femmes*

En 1980, le récit ressuscitait. Il fuyait de partout, inondait l'écriture, rongeait la théorie qui avait vieilli, là, lentement, sans même qu'on s'en soit bien aperçu. Les grandes machines parfaites, les lectures de Marx avec joints tout neufs, bricolages nickelés, étincelantes de brio ; les traverses historiques qui avaient si bien tranché le temps et l'espace en folie belle et raison répressive ; les rêveries savantes, ajustées comme des casse-tête chinois, douces à la main comme des ivoires japonais, tout cela avait rouillé ou s'était défait, sous nos yeux. Le constat lui-même — celui que je viens de faire relève de l'autopastiche — n'avait pas d'autre solution que le lyrisme désabusé. L'existence d'un journal de reportages comme la nouvelle formule d'*Actuel* prouvait la force salvatrice du récit. D'ailleurs, ma fille lisait *Actuel*, et trouvait cela super.

Jean-François Bizot écrivait dans une revue qui questionnait les jeunes intellectuels[1] : « *Nous avons bien été obligés d'enregistrer le repli forcé des espoirs et des utopies. Au cynisme de la Realpolitik, nous avons décidé d'opposer le constat du récit pour passer un gilet de sauvetage à nos idées qui buvaient la tasse.* » La contrainte venait du politique : et des révolutions qui toutes nous déroutaient. Les unes parce qu'elles s'éloignaient de nous, juste lorsque nous commencions à relever nos manches, à cracher dans nos mains ; les autres, loin de nous, parce qu'elles tendaient à se transformer en dictatures. Mais Bizot, lui, ne se trompait pas : nos idées buvaient la tasse, nos têtes se trouvaient sous l'eau.

Et pour sortir la tête, le récit, à fleur de récifs. Tout juste bon à les signaler, à les décrire. Bizot continuait : « *Le récit remobilise la pensée.* »

Le récit, pensée larvée, en gestation ; pensée lovée, tout endormie dans la passion trompeuse du décrire. Dans le même temps, le roman psychologique, sous ses formes les plus formidablement familiales, renaissait, triomphal : petites histoires de cœur, petites histoires de père, de mère, d'enfants, élevées au rang de vérités relatives, meilleures à prendre que les espoirs déçus. Oui, il était loin, le temps des belles machines... Et Lacan vivait.

Or le même Lacan, à l'aube de ses longues vies, fut psychiatre. Cet aspect de sa formation, il ne l'abandonna jamais. En même temps qu'il tenait séminaire, il tenait présentation de malades : vieille tradition française. Et, à Sainte-Anne, il écoutait les délires, saisissait les récits de vies : il était un prodigieux écouteur, qui ne se livrait pas au jeu cruel, à la fiction pédagogique que certains, à la même époque, s'amusaient à entretenir, poussant les fous dans leurs derniers retranchements sous prétexte de complicité rigolarde[2]. Les malades, en public, sont des conteurs, quand ils parlent. Tout l'exercice consiste à reconstituer leur vie : à mi-chemin entre l'enquête policière et l'anamnèse publique, le psychiatre cherche des indices, des pistes. Se constitue lentement un récit : qu'il soit vrai ou faux n'a pas une grande importance. L'essentiel est qu'il soit énoncé, dans un rapport à quelqu'un ; le public induit le spectaculaire ; il y a du Charcot dans l'air, de l'hystérie qui se promène, et qui passe par des bribes de narration.

Le psychiatre, pour faire carrière, doit, académiquement, produire des études de cas. Le cas. Les traités de psychiatrie sont des casuistiques d'une subtilité qui confine parfois à la confusion la plus totale : les maladies glissent les unes dans les autres, tout devient « schizoïde » ; les étiquettes bougent, circulent, au point qu'on inventa les cas impossibles à étiqueter : les « borderlines », les cas limites, aux marges de toute folie. Mais, sous les étiquettes, qui comptent souvent peu, comme le vrai ou le faux, se dit toujours le récit. Chaque fois différent. Chaque fois nouveau. Chaque fois porteur de son unique vérité. Le récit, déjà, mobilisait la pensée.

Jacques-Marie Lacan, chef de clinique, ne fit pas exception à la règle : il était un jeune psychiatre promis à un bel avenir. Il était l'élève de Clérambault, un bien curieux aliéniste, amoureux fou des étoffes et drapés, dont il faisait collection, et qui se suicida — devant un miroir — en 1934. Jacques-Marie Lacan écrivit une thèse, parue en 1932 ; une thèse avec dédicaces, interminables, se terminant, pour être sûr de n'oublier personne, par la formule rituelle : « Meis et amicis », aux miens, à mes amis. *De la psychose paranoïaque dans ses rapports avec la personnalité.* Et, dans le même temps, il écrivait dans la revue *Le Minotaure*[3] des articles d'une autre veine, d'où tout académisme était banni, puisque cette revue était « d'art ». Lacan y côtoyait les masques dogons, les possessions éthiopiennes ; il voisinait avec tous ceux qui accomplirent, en ces temps de colonialisme en voie de dernière assomption, la mission « Dakar-Djibouti ». Il y frayait avec Éluard, Reverdy, Picasso, Masson, qui devint son beau-frère ; avec Dali, qui emprunta à la fameuse thèse sur la paranoïa les fondements de sa « paranoïa critique », légitimation esthétique du délire. Prodigieux creuset, qu'habitait encore la présence effective d'André Breton ; la révolution devenait culturelle, les surréalistes se faisaient esthètes. Dans ce concert polyphonique, la voix de Lacan parlait de « cas ». Elle racontait des histoires, qui, toutes, avaient en commun d'être des histoires de femmes, et de toucher à la notion du style.

Le style, déjà. Pas n'importe lequel. Le style troublé incohérent, en apparence, de folles inspirées. En 1931, Lacan présente à la Société médico-psychologique une « observation » : Marcelle. Trente-quatre ans, institutrice, délirante. Elle relève de la « *schizophasie* » : drôle de chose. Elle produit des écrits « inspirés ». « Inspiré », comme celui des prophètes ; mais le fou n'est prophète que dans son étrange et solitaire pays. Rien, à ce que nous disent les anthropologues — Marcel Mauss, Claude Lévi-Strauss —, ne distingue le fou du prophète, du sorcier, du politique charismatique : rien, sauf le trop grand décalage entre son délire et le groupe qui l'entoure. Le fou et le prophète, tous deux, inventent leur propre langage ; ils innovent, violent la grammaire, la langue, les mots. Mais le prophète se situe à l'exacte lisière où l'innovation langagière pourra se faire entendre du groupe, tandis que le fou est trop loin, perdu, seul : ses inventions deviendront donc des « troubles ». Lorsque Lacan parlera, un peu plus tard, en 1933, du célèbre crime des sœurs Papin, leur folie criminelle sera moins un trouble qu'un *chef-d'œuvre social*. Leur inspiration inspire Lacan ; le shamanisme n'est plus caché, il s'annonce. Pour Lacan lui-même.

La fascination pour le style délirant, si elle s'inscrit sur un terrain déjà quadrillé par les surréalistes, puis par Georges Bataille, dont le bruit court qu'il s'allongea sur le divan de Lacan, ne demeurera pas innocente. Ni sans effets. Lacan y suçait le lait du néologisme ; il jouissait des mots neufs, des tournures archaïques et stéréotypées qui sont le lot des délires, et qui, étrangement, ne provoquent des effets de création que parce qu'ils retournent à des formes anciennes. Pris entre la nécessité sensible de décrire une pathologie — et donc, du pas normal, presque du « pas bien » — et le désir de comprendre « *la haute valeur* » des écrits inspirés, Lacan oscille. A la Société médico-psychologique, il dit que cette pensée délirante est « *courte et pauvre* », que « *rien n'est en somme moins inspiré, au sens spirituel, que cet écrit ressenti comme inspiré* » ; mais il n'est pas seul signataire de l'article. Pour ses amis surréalistes du *Minotaure*, il produit un tout autre discours. Ces écrits sont, dit-il, porteurs « *d'une signification intentionnelle éminente et d'une communicabilité tensionnelle très élevée* ». La création, en eux, n'a rien d'inférieur à l'inspiration des plus grands artistes ; ils rejoignent les thèmes mythiques du folklore, que Freud avait déjà découverts dans la totalité de ses psychanalyses. Et, alors que la paranoïa délirante ressemble, dans le texte « officiel », à une faiblesse de l'esprit qu'on ne saurait confondre avec aucun mysticisme, elle devient, dans *Le Minotaure*, tout autre chose.

Les chiens de garde de l'humanisme et de ses intolérances normatives ne tolèrent guère la folie ; mais Lacan, de l'autre main, de cette main « gauche » qui devait le conduire tout au long de sa vie, écrivait aussi : « *On peut concevoir l'expérience vécue paranoïaque et la conception du monde qu'elle engendre, comme une syntaxe originale, qui contribue à affirmer, par les liens de compréhension qui lui sont propres, la communauté humaine. La connaissance de cette syntaxe nous semble une introduction indispensable à la compréhension des valeurs symboliques de l'art, et tout spécialement aux problèmes du style — à savoir des vertus de conviction et de communion humaine qui lui sont propres, non moins qu'aux paradoxes de sa genèse — problèmes toujours insolubles à toute anthropologie qui ne sera pas libérée du réalisme naïf de l'objet[4].* »

Syntaxe originale, introduction nécessaire au style, d'un côté, et de l'autre, impossible butée de la communication. Cela s'appelle une contradiction : ces folles écrivent des textes souvent superbes ; mais ils sont incommunicables. Sauf pour celui qui veut bien les entendre, et qui se fera « fou » pour entendre, au sein de la même communauté humaine d'où ce fou véritable s'est exclu. L'avertissement est clair ; Lacan se le donne à lui-même. Le style, c'est l'homme à qui l'on s'adresse. Ou encore : comment être pédagogue, théoricien et poète ? Ou encore : comment devenir fou et personnage public ? Ou encore : comment devenir Lacan ?

Marcelle : « *Je suis le frère du mauvais rat qui t'enroue si tu fais le chemin de mère la fouine et de sapin refait, mais, si tu es soleil et poète aux longs faits, je fais le Revu, de ce lieu-là j'en sortirai. J'avais mis ma casse dans ta bécasse*[5]... »

Lacan : « *Devant le gant retourné supposer que la main savait ce qu'elle faisait, n'est-ce pas le rendre, le gant, justement à quelqu'un que supporteraient La Fontaine et Racine ? L'interprétation doit être preste pour satisfaire à l'entreprêt. De ce qui perdure de perte pure à ce qui ne parie que du père au pire*[6]. »

Marcelle : « *Je suis le beau comblons d'humour de sans pinelle et du Vautour, le peloton d'essai et de la sale nuire pour se distinguer à tous rabais des autres qui veulent vous surpasser parce que meilleur à fuir qu'à rester*[7]. »

Lacan : « *Le médit installé dans son ocre réputé : "Il n'est pas de degré du médi-ocre au pire", voilà ce que j'ai peine à attribuer à l'auteur du vers qui humorise si bien ce mot*[8]. »

La frontière est floue, qui sépare le jeu de mots de l'invention poétique, la préméditation de l'incontrôlé, la folie délirante de la norme lacanienne. Le jeu de mots, le voici encore. Mais il s'enracine aussi dans la folie. Qu'est-ce qui sépare la jouissance de Marcelle à se jouer des mots, et celle de Lacan ? Un faible, si faible degré de communicabilité ; un maigre, si maigre souci de se faire entendre de tous...

Lacan aura subi la fascination de l'écrit paranoïaque, dès le début de sa pensée, au point d'en comprendre en lui-même un des effets les plus puissants. De l'étrangeté incommunicable du style délirant, il fera plus tard une force calculée.

Calculée : toujours, à côté de phrases hermétiques, se glisse la phrase limpide. Et quand le sens est le plus obscur, jaillit une étincelle logique, qui permet de renouer le fil. Mais de l'inspiration paranoïaque, il gardera la pratique d'un jeu subtil et dangereux, entre communication et non-communication, entre lumière et obscurité : le « *midire* ». Les femmes paranoïaques lui auront donné une profonde leçon ; pour se faire entendre, il faut parfois jouer d'un langage dangereusement « ouvert ». Ouvert sur l'invention, le mot inexistant, et que l'inconscient fait surgir ; ouvert sur le poétique — c'est la même chose. Ouvert, alors qu'on le dit « fermé » : telle est la dialectique que s'est choisie Lacan.

Fermé : c'est-à-dire réticent devant le plus grand nombre. Il n'a accepté de parler devant des caméras de télévision que sous condition de pouvoir encore « midire », au risque certain de ne pas se faire écouter. Fermé, c'est-à-dire délibérément sélectif. Et ouvert aux oreilles des choisis, des disciples, des amis, et des fous. Il n'est pas étonnant qu'il en soit sorti une école ; c'était même la seule solution pour en fonder une. Et quand les mots de Lacan ont par trop circulé, quand ils sont devenus les mots de son École, il la dissout. Et recommence. Oui, le premier enseignement de la paranoïa, c'est l'enseignement du style ; en un sens, Lacan fait sortir le style paranoïaque de son enfermement ; il le légalise, il lui donne ses lettres de noblesse. « *Vertus de conviction et de communion humaine qui lui sont propres*[9]... »

Ce n'est pas le seul enseignement de la paranoïa. D'elle, de cette « vraie folie », la plus facilement assignable, on dit rapidement qu'elle se compose de thèmes entrecroisés : délire de grandeur, délire de persécution. C'est vrai, en toute simplicité. La paranoïa fait de l'homme le porteur d'un message qui lui a été révélé ; ce message est si important, si brûlant, qu'il suscite la persécution. Le délire paranoïaque raconte cette tragédie du prophète méconnu, du mystique perdu qu'on n'écoute pas, et à qui le monde entier fait des misères. Le délire dit vrai. Il exaspère ce qui sera partout ailleurs rapport de pouvoir, dans les recoins les plus communs de la société. Il est fabuleusement banal. S'il décolle, le délire, il rejoint l'inspiration la plus haute, fût-ce à travers le crime, pour peu que celui-ci touche à un point de rupture. Freud l'avait senti, en analysant les textes délirants du président Schreber, interné parce qu'il rêvait d'être femme pour recevoir le message divin, grâce à un accouplement dont déjà il sentait les prémices, annoncées par des oies blanches. Le délire dit vrai ; il fait signe au prophète.

Mais Lacan ne s'est pas occupé d'hommes. Lacan ne s'est intéressé, à ses origines, qu'aux femmes[10].

2. *La bienheureuse Jacques Lacan*

Toutes, femmes. Marcelle, Aimée, les sœurs Papin, qui peuplent ses premiers écrits : femmes. Pas un homme.

L'un des lieux communs les plus répandus quand il s'agit de Lacan, c'est son aversion pour les femmes, sa profonde misogynie. Cela a couru partout. Dans les endroits les plus inattendus, dans les magazines de grande diffusion, vous aurez entendu le blâme unanime : *il-n'aime-pas-les-femmes*. Il a dit qu'elles n'existaient pas. Il a dit qu'elles n'étaient rien. Qu'est-ce qu'il n'a pas « dit », lui qui ne disait jamais vraiment...

Prodigieux contresens. Voici un homme dont toute la pensée repose sur la paranoïa *féminine ;* un homme qui, sur les femmes, n'a cessé de parler ; un homme enfin qui, lorsqu'il a dissous son École, et parce que cette dissolution l'affrontait à une femme — Françoise Dolto — a pris soin de préciser les choses, et de parler aux analystes femmes. Que son comportement apparent (ou réel, cela m'est après tout égal) ait été celui d'un vieil érudit

65

macho, et ne constitue pas un modèle de progressisme, c'est certain. En déduire que sa théorie est misogyne, c'est faire œuvre de détournement, et pourquoi ? Je sais d'illustres militantes du M.L.F. qui se sont aidées de Lacan pour initier leur action ; si plus tard elles ont pensé plus loin, ou autrement, elles ont toujours payé leurs dettes théoriques, et leurs discours en ont long-temps témoigné [11]. Mais les militants ne constituent plus une preuve dans le monde où nous vivons, et j'en viens à me demander si cette accusation n'est pas, paradoxale-ment le produit d'une époque qui, depuis quelque temps, renie ses femmes, et leurs revendications. La preuve que « tout ça », c'est de la foutaise, c'est que Lacan a dit que les femmes n'existaient pas. Et « tout ça », c'est, au choix, la théorie, la pensée, les sciences humaines, tout ce qui complique la vie. C'est si simple de se dire femme contre un homme, surtout lorsqu'il s'appelle Lacan : commode, on n'y pense plus, l'affaire est faite. Et les beaux mes-sieurs de se frotter les mains : elles ne pensent plus, elles nous foutent la paix.

Il n'a pas dit : les femmes n'existent pas. Il a dit : « *La femme n'existe pas.* » A dire le vrai, ou à tenter de le « midire » davantage, telle n'est pas même la véritable formulation. Lorsqu'il en parlait, un jour, il se prit à dire : «... *La femme, ça ne peut s'écrire qu'à barrer* La [12]. » On pourrait donc typographier sa pensée ainsi : « L̶a femme n'existe pas. » A l'époque, et depuis déjà un bon siècle, les féministes, par vagues successives, n'avaient cessé de dire la même chose. Lorsqu'elles s'insurgent contre le mythe que leur ont fait les hommes dans nos cultures, elles écartent, elles aussi (elles d'abord), l'exis-tence d'une Femme immémoriale, éternelle, immuable, moitié d'un Tout dont l'homme est le Centre. Cette bizarrerie logique, produit du patriarcat sous lequel nous vivons encore, est d'une extraordinaire vitalité. Et pour-tant, tel est bien son fonctionnement : un Centre absolu, l'homme, flanqué d'une moitié. *La* femme. Trop souvent, et malgré les dénégations, Sa femme. Sous des formes infiniment variées, infiniment nuancées, infiniment humanistes, la côtelette du père Adam continue d'exercer sa puissance mythique : moitié d'homme, mais sortie de lui, La femme, effectivement, n'existe pas. Ce genre n'en est pas un. Quelques instants plus tard, Lacan le disait en clair : « *Il n'y a de femme qu'exclue par la nature des choses qui est la nature des mots, et il faut bien dire que s'il y a quelque chose dont elles-mêmes se plaignent assez pour l'instant, c'est bien de ça*[13]. » Vous voyez bien qu'on a mal entendu son langage ; vous voyez bien, en somme, qu'il s'agit d'une profonde banalité. Lacan, en travaillant sur un tout petit article de la langue — le « la » — reprenait à son compte un très vieux thème des femmes, et il le savait. Aussi bien n'en est-il pas resté là.

L'honnêteté m'oblige à compléter le texte. « *S'il y a quelque chose dont elles-mêmes se plaignent assez pour l'instant, c'est bien de ça — simplement, elles ne savent pas ce qu'elles disent, c'est toute la différence entre elles et moi*[14]. » Vieille plaisanterie de phallocrate ? Ironie dérisoire ? La suite de la démonstration ira beaucoup plus loin. Mais il la faut prendre en douceur, comme une musique de Schumann. Il la faut suivre en rêvant un peu, il la faut laisser éclore en soi, homme ou femme. La femme n'existe donc pas — pas comme mythe éternel — parce que, dit-il, « *de son essence, elle n'est pas toute* ».

Mi-dire. Pas toute. Du bon usage de la réserve dans la langue. Le langage de Lacan lui ressemble : c'est un langage sans cesse *réservé*. Les formules, les figures, les tropes s'allient à la négation, à la négation de la négation, à toutes les ressources de la grammaire qui retournent l'affirmation brute, et la taraudent, profondément. « *Je dis toute la vérité — pas toute.* » La femme n'existe pas — *pas toute*. Lorsqu'elle est pensée « toute », elle ne peut être que le complément de l'homme ; mais elle n'est « pas toute », donc, elle échappe à l'homme, à sa culture, à sa langue. Et, comme toute privation entraîne dialectiquement un « plus », comme il n'est pas équivalent d'affir-

mer sans négation ou d'affirmer avec une double négation, si la femme n'est « pas toute » elle jouira donc d'un
privilège que les hommes, eux, n'ont pas. A dire vrai, elle
jouira, un point c'est tout. Car ce « plus » dont Lacan
précise qu'il est un supplément et non un complément,
c'est la jouissance féminine.

Magnifique sujet de dissertation, absurde casse-tête.
Lacan s'en moque, et s'enrage : depuis le temps qu'on le
leur demande, aux femmes, ce qu'est leur jouissance,
elles ne veulent, ne peuvent rien en dire. Avec superbe,
et à son habitude, Lacan a balayé du revers de la pensée
les embarras du physiologique, « *le pôle postérieur du
museau de l'utérus et autres conneries* » — c'est le mot
vrai. Il a même osé dire, fort de son expérience d'analyste, que les femmes ne s'occupaient de leur frigidité
qu'à condition qu'on leur fasse un devoir de la jouissance : il l'a dit, bien avant que des voix féminines le
reprennent à leur compte. Et c'est en homme qu'il parle
de « leur » jouissance : avec lyrisme, avec agacement,
avec envie, avec admiration. C'est en homme qu'il pouvait aller jusqu'à dire qu'il *savait* mieux qu'elles de quoi il
parlait : « *Il y a une jouissance à elle, à cette « elle » qui
n'existe pas et ne signifie rien. Il y a une jouissance à elle
dont peut-être elle-même ne sait rien, sinon qu'elle l'éprouve
et ça, elle le sait. Elle le sait, bien sûr, quand ça arrive. Ça
ne leur arrive pas à toutes* [15]. »

Lacan donc en est réduit, en homme, à *savoir*, à *parler* ;
pas à penser vraiment. La jouissance féminine représente, dans la totalité de sa pensée et de son œuvre, la
butée absolue : là s'arrête la théorie. La manœuvre
avouée, superbement conduite, exposée sans détours,
pour contourner l'inconnu de la jouissance féminine et
se l'approprier quand même un peu, aura suivi de près la
formulation sur « *La* femme » ; elle cherche l'amour. La
jouissance, bernique, mais l'amour, ah ! pour cela, il sait !
Rien à voir avec le rapport sexuel ; sur ce point, Lacan fit
scandale, en lâchant un beau jour tout à trac qu'il n'y
avait pas de rapport sexuel. Malgré l'extase suiviste du

séminaire, ce fut un beau tollé. Quand même, il allait fort ! Dans toutes les têtes, je m'en souviens (et dans la mienne, donc...), germait une subite inquiétude : alors, on ne baisait pas ? On se trompait même là-dessus ? Il en était de cette petite phrase comme de l'énoncé sur *La* femme : une banalité. L'attaque portait sur le « rapport », et non sur le « sexuel » : en cela, Lacan restait parfaitement fidèle à la pensée de Freud, et déplaçait le sexuel de son centre local physique, le bas du ventre, le « machin ». Le sexuel circule partout sur la surface du corps, mais il ne donne pas lieu à un « rapport », au sens logique du terme. Pas plus qu'à un « échange » ; si mon souvenir est exact, c'est à ce moment précis que Lacan se mit à parler d'un grand mythe amoureux, celui de l'orgasme simultané, dont il se demandait en public pourquoi, dans les manuels appropriés, il constituait l'idéal érotique de la culture occidentale.

« Rapport », « échange », jouissance échangée, femme Toute, Mère éternelle, fusion originelle retrouvée... Lacan chrétien savait de quoi il retourne. L'histoire des idées lui donna raison. Freud s'était défini contre Jung, ce psychanalyste qui, à la place du sexuel, plaçait la source du désir dans les retrouvailles les plus archaïques avec des « archétypes ». Freud voulait une nouvelle science, pas un retour au religieux. En Italie, la force de la catholicité a favorisé l'expansion des psychanalystes jungiens ; ce n'est pas un hasard. En France, ils formaient une petite communauté assez marginale, inoffensive. Mais, lorsque se défit la gauche, et dans la redistribution des cartes idéologiques et politiques qui suivit ce désastre, les jungiens français reprirent du poil de la bête, appuyés pour partie — pour partie seulement — par les idées renaissantes de la droite. L'astre de Freud déclinait en même temps que celui de Marx ; les temps étaient venus du retour à la Femme Éternelle, du retour fusionnel à la matrice féminine, dont ni Freud, ni les femmes, ni Lacan n'avaient voulu. On régressait ferme. Comme par hasard, c'est à ce moment précis qu'on s'avisa de critiquer Lacan parce qu'il avait dit que la femme n'existe pas, etc.

Il n'y a donc ni La femme ni rapport sexuel, mais l'amour existe. Fondé sur la jouissance de Dieu, ne s'exprimant jamais mieux que dans la mystique. Tendrement, dans les moments qui suivirent, Lacan parla de sainte Thérèse, telle que l'a sculptée le Bernin ; de Hadewijch d'Anvers, une béguine. Et reprend à leur propos ce qu'il avait dit de toutes les femmes : « *Et de quoi jouit-elle ? Il est clair que le témoignage essentiel des mystiques, c'est justement de dire qu'ils l'éprouvent, mais qu'ils n'en savent rien.* »

Continuons. « *Ces jaculations mystiques, ce n'est ni du bavardage ni du verbiage, c'est en somme ce qu'on peut lire de mieux — tout à fait en bas de page, note — Y ajouter les "Écrits" de Jacques Lacan, parce que c'est du même ordre*[16]. » Le voilà donc qui se range de lui-même dans la catégorie des mystiques — je vous le disais bien...

« Pardon, pardon », dit monsieur Prudhomme. « Vous venez de définir Lacan comme héritier de Freud, luttant contre Jung et contre la religiosité, et voilà que vous nous le découvrez mystique. Il faudrait savoir ! »

Oui. Cela non plus n'est pas d'une telle hardiesse : ils sont légion, de Baudelaire à Klossowski en passant par Hegel ou Goethe, ceux pour qui le mysticisme n'a rien à voir avec la religion. Et, tout près de Lacan, il y avait eu Georges Bataille. Georges Bataille qui, dans *Madame Edwarda*, décrivait une femme folle qui, montrant ses « guenilles », les lèvres de son sexe ouvert, disait que c'était Dieu[17]. Lacan s'inscrit dans cette tradition de pensée qui, traversant l'expérience mystique, la dénude de l'institution religieuse, la sublime, et la retrouve. Du mystique au fou, le pas est vite franchi, toujours le même pas fragile que seul le groupe social — secte, ordre monastique, Église, ordre des médecins — aura le pouvoir de franchir pour fixer un enfermement, ou au contraire assigner une fonction charismatique reconnue :

l'expérience, elle, est la même. Et Lacan se situe *dedans*.

Il était donc logique — d'une logique qui, page à page, mot à mot, se vérifiera toujours davantage — que Lacan commence à penser à partir des femmes folles. Il n'a jamais cessé d'y penser : Hadewijch d'Anvers succède à Marcelle, sainte Thérèse d'Avila aux sœurs Papin, ce sont toujours les mêmes. Enfermées dans les hôpitaux où Lacan les découvrit, ou sanctifiées par une tradition qui les idéalise et les méconnaît en même temps, les « inspirées » l'inspirèrent, d'un bout à l'autre de sa vie. Ce fut l'une de ses vies principales : la plus énigmatique, la plus difficile, la plus rebelle, comme la jouissance féminine, à laquelle, en s'avouant mystique, Lacan cherchait à s'identifier.

3. *Le couple éternel du criminel et de la sainte*

Aux temps des asiles et des cathédrales, elles trouvaient leurs extases dans ces harems pour Dieu seul qu'étaient devenus les couvents de femmes. Au XIXᵉ et au XXᵉ siècle, elles sont dans les hôpitaux. On ne les béatifie plus, on ne les sanctifie plus. Jean-Noël Vuarnet, parcourant l'histoire des mystiques féminines depuis les lointaines béguines jusqu'aux petites saintes mariales Bernadette, Thérèse de Lisieux, clôt cette longue série par l'image d'une « vraie » folle : Madeleine de la Salpêtrière, une malade de Pierre Janet[18]. Le Médecin remplace Dieu, il vérifie les stigmates, il enregistre les jouissances extatiques d'un corps immuablement passif et possédé. Différentes sont les mystiques qui passionnaient Lacan. Leurs extases sont des crimes ; leurs jouissances, des passages à l'acte. Aimées, les sœurs Papin, délirantes, mystiques, mais criminelles.

C'est une petite ville absolument française, dans la Sarthe, Le Mans. Une ville sans histoires, où les bourgeois ont réussi à damer le pion aux aristocrates, confinés dans leurs gentilhommières. Un pays riche, où les domestiques sont traités comme on traite les animaux, à peine mieux : dans cette adorable ville, encore récemment, on pouvait entendre une dame de la haute demander chez le boucher un rôti pour sa famille et du mou pour la bonne. Christine et Léa Papin sont bonnes à tout faire. Sœurs, et inséparables ; elles sont un peu étranges, elles ne sortent pas ; leurs jours de congé, elles les passent toutes deux enfermées dans leur chambre. Elles parlent peu. Mais elles sont de bonnes domestiques. Face au couple de sœurs, il y a une mère, une fille, pas tendres, dures, normales pour l'époque, et pour leurs féroces habitudes de classe.

Un soir d'orage, la foudre provoque une panne d'électricité. Les patronnes sont sorties, ce soir-là. Quand elles rentrent, elles réprimandent : bien sûr, les bonnes sont fautives. Elles n'ont rien fait ; elles sont restées ensemble, comme d'habitude, et ont attendu que la lumière revienne. A la colère des patronnes, d'ordinaire, les sœurs ne répondent pas. Mais cette fois, oh ! cette fois-là...

Elles prennent chacune sa chacune, font sauter les yeux hors des orbites, puis, lorsque leurs adversaires sont à terre, elles attrapent tous les instruments qui appartiennent à leur espace de domestique : tout ce qui est dans la cuisine. Marteau, pichet, couteau, tout sera bon au sacrifice.

Elles écrasent les visages, elles piétinent les corps, et, pour que tout soit accompli, elles tailladent les cuisses et les fesses des deux mortes, souillant le sexe de l'une avec le sang de l'autre, les réunissant dans l'entaille et le rite. Puis, quand c'est fini, elles lavent bien proprement dans l'évier les couteaux, les marteaux, les pichets ; elles se lavent elles-mêmes, et s'en vont au lit, ensemble, toujours. D'après leur propre témoignage, leur seule parole échangée fut : « *En voilà du propre !* » Bonne parole de ménagère ; le reste ne les regardait plus[19].

Un soir de printemps, à Paris, une grande actrice — imaginez Ève Lavallière, Cécile Sorel, Sarah Bernhardt ou, plus tard, Huguette Duflos — arrive au théâtre où elle doit jouer. Une inconnue l'aborde à l'entrée des artistes, comme font les admirateurs et chasseurs d'autographes. Mme Z. ne se méfie pas. Son interlocutrice semble tout à fait normale, fort correctement habillée, gantée, sac à main, col et poignets de fourrure, remarque-t-on : ce n'est pas une mendiante. L'inconnue lui demande si elle est bien madame Z. ; celle-ci acquiesce et passe. Ou plutôt, veut passer. Car l'inconnue sort de son sac à main un couteau grand ouvert, et tente de la frapper. Mme Z. prend le couteau par la lame, et se sectionne deux tendons. On arrête l'inconnue ; on l'hospitalise[20]. Lacan l'appellera « *Aimée* ». Elle sera « *le cas Aimée* ».

Qu'ont en commun ces récits dont Lacan fit, pour les sœurs Papin, un long article dans *Le Minotaure*, et, pour Aimée, sa thèse de médecine ? D'abord, le crime : la sortie du social, le geste fulgurant et dramatique qui, d'une personne anonyme, fabrique une énigme pour le corps social interdit de stupeur. Le petit crime d'Aimée ne put sortir de la banalité psychotique que grâce à la célébrité de l'agressée — mais c'était, précisément, l'un des ressorts du geste. Quant au crime des sœurs Papin, il interrogea si profondément la France d'alors que Jérôme et Jean Tharaud y allèrent d'un reportage dans *Paris-Soir* — c'était en 1933 ; il laissa des traces imaginaires telles que Jean Genet s'en inspira, et en fit *Les Bonnes*. Encore aujourd'hui, le crime hante la mémoire collective. Au Mans, on n'en parle pas ; personne ne veut dire où se trouvait la maison. En matière de crime, de geste, d'acte, la psychiatrie a son mot à dire, depuis qu'au XIXe siècle s'installa l'expertise du crime fou, au moment des grandes épidémies criminelles dont l'histoire de Pierre Rivière est le meilleur témoignage[21]. Mais la psychanalyse, qui n'a rien à expertiser, ne tient pas le discours de l'étiquette et de l'irresponsabilité. Elle explore l'enfance, cherche les causes pendant que les policiers cherchent les mobiles : c'est presque la même chose, sauf à dire que les uns retracent toute une vie depuis l'enfance, cependant que les autres, les policiers, s'en tiendront à l'âge adulte et aux désirs les plus immédiats — ceux qui font « bouger » le criminel, et qu'on appelle les « mobiles ». Enfin, et surtout, le psychanalyste dispose d'un concept qui correspond à la singularité du geste, jamais si manifeste que dans le cas des sœurs Papin ; rien ne laissait présager leur meurtre ni surtout les modalités extraordinaires du meurtre, et rien de violent ne suivit, rien du moins qui cherchât encore à agresser un autre membre de la société civile. La psychiatrie, à l'aurore de son insertion dans la criminologie, appelait ces gestes uniques « monomanie » ; façon commode de désigner une forme de folie qui n'advient qu'une seule fois. Le mot débarrasse le terrain. Le psychanalyste, lui, appelle ce geste *le passage à l'acte*.

Or, si le geste fou est un passage à l'acte, c'est qu'il s'inscrit dans une implacable logique, qui depuis longtemps se prépare. J'ai failli écrire : depuis toujours. Car ce n'est pas la seule enfance de l'intéressé qui détermine, brutalement, la violence inattendue — ou, dans un registre moins dangereux, l'acte simplement inhabituel —, c'est l'enfance de sa mère, ou de son père ; c'est, encore au-delà, la fondation familiale, jusqu'au terme où s'arrête la mémoire ; ce sont les raisins verts d'un malaise social dont les dents des rejetons se trouveront agacées au point de produire, un jour, la vraie folie. On sait maintenant que la mémoire familiale ne remonte plus guère au-delà de trois générations ; ce rythme se retrouve déjà dans les mythes et les cultures les plus anciennes. C'est malgré tout « depuis toujours » que se prépare l'acte : pour le psychanalyste, il n'est plus qu'un passage. Mais alors le geste disparaît, étouffé par l'anamnèse, et l'interminable recherche du passé. Aboli par l'amont. En aval, au terme du procès, le corps social tranchera. Christine et Léa Papin furent en un premier temps condamnées à avoir la tête coupée sur la place publique du Mans. Aimée fit un séjour en hôpital psychiatrique. Et cependant, des unes à l'autre, la différence n'est pas de nature, elle n'est que de degré. Certes, l'agression sociale avait pris des formes grandes comme l'antique ; et l'horreur béante de la société civile rend compte de l'archaïsme du jugement, à la mesure de la démesure du geste. Le jugement fut corrigé par après, comme si la société s'était rendu compte enfin que cet acte ne relevait pas de sa compétence mais de l'internement. Que, si elle l'avait maintenu, elle eût entériné de fait l'existence de crimes dont l'histoire du Droit avait, dans la théorie, fait table rase. Un passé mort, qui n'était pas seulement celui de deux sœurs élevées dans une profonde arriération affective, remontait à la surface. Il était prudent de le confier au psychiatre et à l'analyste. Aussi bien le « passage » franchit-il le détroit qui sépare l'imaginaire du réel, le mythe et le fait, l'histoire refoulée et l'actualité subite.

La première ressemblance entre Christine, Léa et Aimée touche à leur statut de femme. Tout comme seules les femmes peuvent accéder à une jouissance qu'elles ignorent, ces femmes purent aller jusqu'au passage définitif qui scelle une vie et dénoue les tensions. Emprisonnées, les sœurs Papin deviennent véritablement ce qu'elles étaient en puissance : de vraies délirantes. Enfermée à l'hôpital, Aimée délire et guérit, six mois plus tard. Car le passage à l'acte, s'il est porteur de danger, est aussi, et monstrueusement, thérapeutique ; quand il est *fait*, un conflit cesse d'exister. L'apaisement peut venir enfin. Et ces gestes ne sont guère différents de ceux qui, de toujours, s'inscrivent dans la mythologie féminine : de Penthésilée, qui dévora Achille tout cru, et s'endormit ensuite, reposée, à la mère de Penthée, Agavé, qui, parce qu'elle était Bacchante et donc sujette aux transes, déchira son fils vivant, le prenant pour un daim ; de la Camille de Corneille aux sorcières de Michelet, de Judith à Charlotte Corday, elle est interminable, la liste des femmes qui doivent leur renommée au crime. Ce sont des héroïnes ; et c'est bien en tant que telles qu'elles fascinèrent Lacan. Lisez la conclusion de son article du

Minotaure : « *Elles arrachent les yeux comme châtraient les Bacchantes. La curiosité sacrilège qui fait l'angoisse de l'homme depuis le fonds des âges, c'est elle qui les anime quand elles désirent leurs victimes, quand elles traquent dans leurs blessures béantes ce que Christine plus tard devant le juge devait appeler, dans son innocence "le mystère de la vie"*[22]. »

Tout doux. Déjà s'annonce l'explication, qui nous apprendra le secret commun de ces deux crimes de femmes. Pour le trouver, il faut, pas à pas, remonter leurs histoires. Retrouver en même temps que Jacques Lacan ce qu'il découvrit alors, et qui fut à l'origine de toute sa pensée. Telle est l'énigme ; il la faut maintenant déchiffrer.

Lorsque Christine fut emprisonnée, elle fut, comme il est logique dans une prison française, séparée de Léa. Et, cinq mois plus tard, les effets de la séparation se faisaient sentir. Christine hallucine ; elle tente de s'arracher les yeux ; on lui passe la camisole de force ; elle ne mange plus, elle se livre à des actes d'autopunition, elle « expie », et, naturellement, elle délire. Lorsque Lacan prend connaissance de ces faits — par la presse et par l'expertise psychiatrique du docteur Logre —, il sait, d'emblée, que la séparation est à l'origine du délire, tout comme l'étroite coexistence des deux sœurs est à l'origine du crime. Il le sait parce qu'il suit cette piste depuis le cas Aimée, et que la paranoïa féminine, plus encore que la paranoïa masculine, éclaire ce qui se nomme, en jargon freudien, l'homosexualité refoulée. Mais ce n'est pas la première explication : ce sera la dernière.

La première touche au langage : ce chemin, nous le connaissons déjà. Il s'enracine dans la langue, et s'en va vers l'acte. Pour que le crime paranoïaque puisse s'accomplir, il faut qu'une métaphore soit passée dans le réel. « *Je lui arracherais les yeux* », voilà le discours de la haine, le plus commun — le moins dangereux. Quand il arrive que la métaphore s'accomplisse, et que disparaisse la barrière du fantasme et de l'imaginaire, la conscience populaire, dit Lacan, réagit à la mesure du fait : « *Réaction ambivalente, à double forme, qui fait la contagion émotionnelle de ce crime et les exigences punitives de l'opinion* [23] ».

Or, pour que, dans ce cas, la métaphore ait pu donner lieu à ce crime inouï, il fallait une condition absolue : que les deux sœurs soient l'une pour l'autre le seul univers. « *Vraies âmes siamoises, elles forment un monde à jamais clos ; à lire leurs dépositions après le crime, dit le docteur Logre, "on croit lire double". Avec les seuls moyens de leur îlot, elles doivent résoudre leur énigme, l'énigme humaine du sexe* [24]. »

Voici donc un couple de sœurs, qui, parce qu'elles ont été élevées ensemble, ne se sont jamais affrontées à l'existence de l'autre, homme. Deux sœurs qui trouvent leur plaisir ensemble ; qui, dans le meurtre, trouveront une jouissance sacrée ensemble ; et qui, lorsqu'elles auront tué, s'acharneront sur les cuisses après avoir dévoilé le sexe de leurs victimes. « *Je crois bien*, dit Christine, *que dans une autre vie je devais être le mari de ma sœur.* » Dans cette autre vie, elle l'était aussi. Lorsqu'un autre couple de femmes se présente sous une forme hostile, le couple se déchaîne. Le « *délire à deux* » a fait son œuvre ; mais il vient du « mal d'être deux », de l'impossibilité de se distinguer de l'autre, au point que lorsque l'autre n'est plus là, surgissent la déperdition d'identité et la folie.

Lacan lui-même fait le rapprochement entre les deux sœurs et sa chère Aimée. Comme Christine et Léa étaient inséparables, Aimée était « *inséparable* ». Elle ne fut pas inséparable de la même femme tout au long de sa vie : sans doute cette succession de figures différentes lui permit-elle de ne pas tuer jusqu'au bout. Pour Aimée, l'objet identique — la même qu'elle — fut d'abord sa mère. « *Nous étions deux amies* », dit Aimée en pleurant. Puis ce fut une aristocrate déchue, Mlle C. de la N. « une intrigante raffinée ». A lire la thèse de Lacan on imagine bien le personnage : considérant le travail comme une dégradation, gouvernant ses collègues avec l'autorité d'une marquise gourmandant ses valets, ou organisant des salons, elle dicte les normes du bon et du mauvais goût ; elle fait la roue, et polarise Aimée, qui l'entendra parler pour la première fois de la fameuse Mme Z. La marquise déchue dira souvent à Aimée : « *Tu es masculine* » : écho assourdi de Christine, « mari » de sa sœur. Mais Mlle C. de la N. n'empêchera pas qu'Aimée se marie, plutôt par convenance et « donjuanisme » que par amour. C'est alors que la troisième femme, le troisième double, viendra s'installer dans la vie d'Aimée : sa propre sœur, qui viendra habiter avec le jeune ménage. Or la sœur d'Aimée n'avait plus d'utérus, enlevé, et avec lui, tout espoir d'enfanter jamais. Lorsque Aimée accouche, une première fois d'un enfant mort, une seconde fois d'un enfant vivant, la sœur ne se cache pas de jouer auprès d'elle son rôle de mère inassouvie. Si Christine, trop proche de Léa, n'avait pu projeter sa haine qu'avec Léa, et sur un autre couple de femmes, Aimée mettra du temps à élaborer une dérivation de plus en plus lointaine de la haine amoureuse qu'elle porte secrètement à cet autre soi-même. Et elle part pour Paris, quittant son foyer, en proie à un délire qui peu à peu la rapproche géographiquement de ces êtres de luxe et de lumière, les courtisanes, les comédiennes, qui sont à l'origine du complot contre elle. Haine, amour ? Cela se nomme ambivalence. « *Chacune des persécutrices n'est vraiment rien d'autre qu'une nouvelle image, toujours toute prisonnière du narcissisme, de cette sœur dont notre malade a fait son idéal. Nous comprenons maintenant quel est l'obstacle de verre qui fait qu'elle ne peut jamais savoir, encore qu'elle le crie, que toutes ces persécutrices, elle les aime : elles ne sont que des images* [25]. »

De femme en femme, Aimée frappera Mme Z. : paranoïa d'autopunition. De femme en femme, Christine et Léa, dont l'inconscient ne pouvait admettre l'existence de l'Autre, frappent deux femmes. Elles frappent, comme les mystiques dont Lacan reprendra plus tard le discours se laissent blesser par un Dieu qui les aime et les hait au point de leur infliger toutes les souffrances du monde, à sa propre image, puisqu'Il les a lui-même supportées. L'« *inversion psychique* » dont parle Lacan à propos d'Aimée, de Christine, et qui fait d'elles des images d'homme au sein d'un couple homosexuel, rejoint « *le couple éternel du criminel et de la sainte* », et l'histoire exemplaire de Jean Genet.

Avec d'autres moyens — la philosophie, l'instrument logique de la dialectique, la phénoménologie — et malgré son aversion pour la psychanalyse, Sartre, dans *Saint Genet, comédien et martyr*, retrouve le même jeu de doubles, les mêmes prisons de verre du narcissisme. Si la sainte a besoin de ses extases, et d'un corps meurtri, pour accéder à la sainteté, le criminel tue non pas pour tuer, mais pour accéder à l'« *être de criminel* ». « *Car le crime est élection, il y faut le concours de la grâce.* » N'est pas criminel qui veut ; il faut les signes de l'élection. L'amant, ou l'amante, que ce soit Genet ou la sainte, touche, par l'extase, au point troublant où se rejoignent le Mal et le Bien. Genet éprouve de vraies transes amoureuses, dont Sartre va jusqu'à dire qu'elles le font penser aux évanouissements de Mme Guyon. Et l'expérience du Mal est un « *cogito princier qui découvre à la conscience sa singularité en face de l'Être* ». L'expérience du Bien est la même ; dans les deux cas, la « *singularité* » selon Sartre, le « *sujet* » selon Lacan s'évanouissent dans la « *conscience* », pour Sartre, et la « *jouissance* », pour Lacan. Étrange tourniquet, dit Sartre. Paranoïa féminine, dit Lacan : c'est la même expérience. Mais Sartre ne s'est pas intéressé à une femme, il s'est occupé de Genet. Lacan, lui, s'est enraciné dans la paranoïa féminine, et dans ses fulgurances criminelles.

Dans l'énigme féminine, à cette époque de genèse, Lacan trouva deux voies de traverse, qui ne se rejoindront que bien plus tard. La première voie le conduira par le chemin familial à cet éternel et interminable discours sur l'amour qui passa par le *Banquet* de Platon, l'amour courtois, les tapisseries médiévales, Sade, et Kant avec lui[26]. La seconde voie est plus fondamentale : ce que Lacan découvrait dans le crime des sœurs Papin, dans le geste fou d'Aimée, c'était le stade du miroir. C'était, à travers les troubles gémeaux de Christine et Léa, à travers les masques successifs des doubles auxquels s'identifiait Aimée, pour les détruire ensuite, l'importance décisive d'une étape essentielle dans la constitution humaine : le moment où l'on devient soi parce qu'on n'est plus le même que la mère. Ce que Lacan enfin découvrait par le chemin des dames, et qu'il n'abandonna jamais, c'est le danger du trop proche, le malheur de l'identité à deux. C'est à la même époque à peu près, vers 1937, que Claude Lévi-Strauss commença à connaître les Indiens d'Amazonie ; il y trouvait, par-delà l'étrangeté de cultures dont il allait nous apprendre vingt ans plus tard le degré inconnu de sophistication et d'élaboration intellectuelle, l'équivalent du stade du miroir, en ethnologie. Dans les deux cas, il s'agit de « bonne distance ».

Il arrive que les groupes indiens, par les hasards des nomadisations ou des catastrophes, se rejoignent, sans l'avoir voulu. Cela arriva aux Indiens Mandans d'Amérique du Nord. Un groupe d'Indiens d'une culture voisine vint les rejoindre et apprit à leurs côtés la culture du maïs. Mais les Mandans leur demandèrent bientôt de repartir, et leurs vieux répètent encore ce qui leur fut dit en ces temps très anciens. « *Il serait préférable que vous partiez au-delà du fleuve, et que vous construisiez votre propre village, car nos coutumes sont par trop différentes des vôtres. Ne se connaissant pas les uns les autres, les jeunes gens pourraient avoir des désaccords, et il y aurait des guerres. N'allez pas trop loin, car les peuples qui vivent éloignés sont comme des étrangers et la guerre peut éclater entre eux. Voyagez vers le nord, jusqu'à ce que vous ne puissiez pas voir la fumée de nos maisons, et là, bâtissez votre village. Ainsi, nous serons assez près pour être amis et pas assez loin pour être ennemis[27].* »

Les Mandans connaissaient la bonne distance. Elle se dit dans tous les mythes, partout où la réunion hasardeuse du destin provoque la catastrophe. Elle se dit dans l'histoire d'Œdipe, trop réuni à sa mère ; dans l'histoire de la femme Séléné, trop proche du dieu Zeus, dont la foudre la brûla tout entière, et le dieu dut prendre l'enfant Dionysos, qu'elle portait en son sein, et se le coudre dans la cuisse pour qu'il aille jusqu'à son terme. Elle se dit dans les incestes et les amours trop passionnées ; dans l'amour trop proche que Mme de Mortsauf porte à Félix de Vandenesse, comme dans l'amour trop lointain de la princesse de Clèves. Les héros meurent d'être trop près, ou trop loin. Les paranoïaques de Lacan frappent parce qu'elles sont trop près d'une image féminine menaçante, et trop loin d'autres images inaccessibles. Mais la bonne distance existe ; l'éducation, les mœurs, le droit, la société civile, toute la culture sont faits pour l'établir, la maintenir, et garder entre les hommes une relation qui ne menace pas, comme menace le terrible contact entre Christine et Léa. Car, lorsque ce parfait amour se trouve confronté à l'autre, il explose, et donne la mort.

Si Claude Lévi-Strauss rencontre la bonne distance dans ces modèles nus que sont les sociétés les plus archaïques, Lacan la trouve chez l'enfant. Elle est le contraire du féminin. Étrange chassé-croisé : Lacan cherchait la bonne distance mais, pour lui-même, il aimait la folie, cette mauvaise distance. Mais on ne saurait être mystique et à la bonne distance ; et la « colle » des disciples semble bien être un retour d'affection provenant d'une dangereuse proximité qui n'était pas leur fait, mais celui de Lacan. S'il en fut ainsi, si vraiment Lacan dut son succès et sa fascination à un goût prononcé pour l'abolition de la distance, se pose, cruciale, la question de la psychanalyse. Car elle aussi est une pratique de la bonne distance : si, dans les sentiers qu'elle parcourt entre l'analyste et l'analysant, elle passe par un rapprochement inévitable et nécessaire, elle doit aussi, un jour, se terminer. Et l'analyse ne peut finir que dans la bonne distance. Lorsque le patient peut enfin remonter vers le nord, et planter sa tente en n'apercevant plus la fumée de celle de l'analyste, lorsqu'il n'en souffre plus, l'analyse est terminée. Il faut tout le temps rituellement appelé « liquidation du transfert » pour que s'établisse, enfin, cette bonne distance où ont l'habitude de vivre les hommes et les femmes entre eux : loin de l'amour-passion.

Nombre d'analystes se résolvent mal à cette idée. Le tremblement de la folie les hante, alors qu'ils sont payés pour en venir à bout. Les fulgurances des actes héroïques les habitent comme si eux-mêmes n'avaient pu surmonter entièrement le trouble qui les a poussés sur le divan. Comment ne pas imaginer que Lacan fut toute sa vie habité par l'amour de la folie ? Qu'il ait pu, génialement parfois, le sublimer en langage et en pensée ne change rien à l'affaire : entre la norme enfantine et les femmes folles, de quel côté penchait-il ? Et quelles bacchantes intérieures le déchiraient, quand il revenait sans cesse aux femmes ?

4. *Petite digression philosophique*

Les idées ont ceci d'exaltant qu'elles vous emportent toujours au-delà d'elles-mêmes. Exaltant, mais dangereux : la force de l'idée est analogue à la force de la jouissance du néologisme pour Aimée, Marcelle et compagnie. Mais les idées, comme les néologismes, jouent entre elles, toutes seules, et me jouent à travers elles. Le perroquet le disait à Zazie, et Zazie n'en perdait pas une miette : tu causes, tu causes...

C'est exactement ce que je fais avec Lacan, répondit doucement Marcelline. Un pas de plus, et l'idée me fera écrire que Lacan est une paranoïaque femme. Ce serait une idée, mais...

Mais Lacan était un homme. Shaman, *et* comme les autres. Le succès d'Aimée lui vient aussitôt de ses amis poètes : Fargue, Crevel, Joe Bousquet, Éluard. Comme Marcelle, Aimée écrit, dans ce que Lacan nomme « *les moments féconds du délire* ». Avant d'en arriver à l'agression, elle a, profondément, et de plus en plus, rompu les amarres qui la retenaient prisonnière de la chère image maléfique, la sœur aimée et haïe. Chaque fois, plus solitaire, plus délirante, et plus écrivain. Si Lacan y trouve son miel de psychanalyste, il y trouve aussi son miel de poète. Pour l'œil du psychanalyste, Aimée aura pu écrire : « Je vais être reçu garçon, *j'irai voir ma fiancée, elle sera toujours en pensées, elle aura des enfants dans les yeux, je l'épouserai, elle serait trop triste, personne n'écouterait ses chansons*[28]. » Et le psychanalyste aura l'indice cherché : la dimension masculine, toujours présente chez la paranoïaque. Pour l'œil du poète, Aimée a écrit : « *au crépuscule, lorsque mon ombre se projette sur la colline, je ne m'effraye pas des bruits d'aile à l'orée des bois, de la croisée des chemins, du beagle aux abois, de la litée en fuite, du sanglier qui herbeille près des boutis, de la passée de la perdrix; ma bête chauvit de l'oreille sous le strix, et les phalènes et piaffe près des brûlis. Je tiens un soliloque*[29] ». Lacan-poète est toujours fasciné par la sublimation en langage, où la violence se dit sans passer, couteau en main, trop près du corps de Mme Z. : si elle fait effraction, c'est dans la langue. Le lien entre le poétique et le pathologique, Lacan ne le fait pas vraiment : il tangue, séduit : observateur amoureux en thérapeute ; trop près, ou trop loin. Une distance en zigzag, qui fléchit et se reprend, s'abandonne et se relie. Ses amis poètes reprendront le flambeau qu'il leur tend.

Plus tard, en 1946, tout de suite après la guerre, dans le creuset psychiatrique que furent les journées de Bonneval organisées par son ami Henri Ey, Lacan aura trouvé un fil. Philosophique, donc, apparemment solide : Hegel. Hegel, parlé par un personnage étrange, Alexandre Kojève, qui marqua de sa patte philosophique et de son enseignement des intellectuels aussi divers que Queneau, Jean Hyppolite, traducteur de la *Phénoménologie de l'esprit*, Jean Daniel, Georges Bataille et Lacan. (Quand nous serons beaucoup plus vieux, nous dirons la même chose des séminaires de Jacques Lacan : ainsi va la vie, chansons, comptines, mieux-aimé...) Avec un sens de l'histoire qu'il faut bien lui reconnaître, Kojève est mort en juin 1968. Ses fils sont partout. Et Lacan en fit partie.

Dès lors, solidement encadré, le délire féminin s'assagit, pour un temps. Le temps de se faire grillager dans la dialectique hégélienne, au pas de l'oie, en deux temps parfaits : *la loi du cœur* et *le délire de la présomption*. La loi du cœur ou la révolte du fou — mais aussi du héros, du condottiere, de l'inspiré — et le délire de la présomption, par lequel le fou veut imposer son ordre à ce qui lui apparaît comme désordre. «*Son être est donc enfermé dans un cercle, sauf à ce qu'il le rompe par quelque violence où, portant son coup contre ce qui lui apparaît comme le désordre, il se frappe lui-même par voie de contrecoup social*[30].» Le manège aux chevaux de bois philosophiques tourne, tourne, et Lacan avec lui, qui cite ses sources, et se détourne de sa propre pensée.

Or, si dans ce texte, *Propos sur la causalité psychique*, Lacan rappelle, sommairement, le cas Aimée (déjà une histoire lointaine, il va vite, a, b, c, d...), il s'attarde par ailleurs longuement sur un cas bien étrange. Le cas d'un gentilhomme amoureux, incarnation de la loi du cœur, donc aussi du délire de la présomption. Ce monsieur échouera dans une amère jubilation, cherchant en vain à enfermer sa trop jeune et jolie Célimène dans un endroit «*où d'être homme d'honneur on ait la liberté*». Oui, bien étrange référence : l'Alceste du *Misanthrope* de Molière, cas clinique et modèle littéraire. Qui le verrait comme fou, sauf le psychanalyste, attentif à retrouver, jusque dans la forme la plus classique de comédie sociale, des échos de folie ? Il s'en trouve. Et voici Alceste Narcisse, attaché à provoquer l'épreuve de la déchéance de Célimène, la rêvant pauvre, laide, abandonnée de tous...

Alceste, sous la plume de Lacan, est le répondant masculin d'Aimée.

Le panneau central, où l'extase se déploie en voiles, bulles, arcs-en-ciel et dragons, s'entoure du portrait des donateurs. A gauche, la femme, folle, renversée en arrière, yeux révulsés, hystérique, l'arme dans une main, un livre dans l'autre, belle à faire peur. A droite, les mains jointes, bien sage, hégélien, littéraire, l'homme. A gauche, Aimée, sainte Thérèse, Marcelle, Hadewijch ; à droite, Alceste, Kafka, Schreber. Entre les deux, Lacan. Le panneau central, corps mêlés et flammes ouvertes, ressemble à un tableau de Memling ; celui de gauche, à Jérôme Bosch ; celui de droite, à La Tour : c'est Lacan, côté homme. Aussi bien Alceste ne relève-t-il pas de l'« *autopunition féminine* », mais de « *l'agression suicidaire du narcissisme* ». La femme frappera l'autre — les patronnes, Mme Z. ; mais l'homme se frappera lui-même, par autres hommes interposés : il jouira de regarder avec fureur son image humiliée par les sornettes d'Oronte, et ses sonnets. Il y a de l'homme chez Lacan — c'est bien le moins. De l'homme, dans le dernier exemple qu'il mentionne, sans amour ni tremblement : « *Le vieux révolutionnaire de 1917 au banc des accusés des procès de Moscou*[31]. » L'homme, une « marionnette », dit Lacan ; la marionnette de sa culture. La fascination de la femme est loin ; le regard est froid, les ombres sont nettes, découpées, les fantômes, stylisés : le texte est de Molière, il n'est pas d'une folle.

1938 : Lacan participe à l'*Encyclopédie française* dirigée par Henri Wallon. Il y rédige l'article « *Famille* ». Texte prodigieux, dont presque rien n'a vieilli ; texte oublié, que les lacaniens se passent de main en main, à la recherche des origines de leur légende. Tout est en ordre. A la fin, en guise de conclusion, se trouve, en bonne place, la « *prévalence du principe mâle* ». Et une fermeté de ton qu'on aimerait rencontrer aujourd'hui. « *Les origines de notre culture sont trop liées à ce que nous appellerions volontiers l'aventure de la famille paternaliste pour qu'elle n'impose pas, dans toutes les formes dont elle a enrichi le développement psychique, une prévalence du principe mâle dont la portée morale conférée au terme de virilité suffit à mesurer la partialité.* » Qui, en ces temps de racisme et de mépris, pourrait écrire aujourd'hui ces mots sans susciter le soupçon masculin ? 1938 : on préparait la destruction d'un monde.

Le texte ne s'arrête pas là. Le principe mâle, parce qu'il est prévalent, comporte un revers, où se retrouve la théologie de Lacan. Ce principe inversé, c'est la Vierge. La « Sainte » Vierge, définie comme *« l'occultation du principe féminin sous l'idéal masculin »*. La Vierge mâle, mystère inversé, femme et homme. Femme puisqu'elle est mère, homme parce qu'elle conçoit seule. On trouve parfois des rêveries d'ethnologue sur la vérité du Paradis perdu : Claude Lévi-Strauss, et, longtemps après, Pierre Clastres[32]. Ils disent, tous deux, combien est puissant dans toutes les cultures le rêve d'un monde sans femmes, où l'on pourrait vivre entre soi — entendez, entre hommes ; un monde asexué, entre guerriers. Magnifique moyen d'oppression, source d'aliénations immémoriales, la Vierge est androgyne ; et, dans une culture où prévaut le principe mâle, l'androgynie ne partage pas entre homme et femme. Elle est homme. Ce mythe parfait trouvera sa conséquence concrète chaque fois qu'une mère — une vraie —, presque toujours naviguant dans le sublime, imposera cette image virginale à son fils, le transformant en homosexuel.

Lacan a profondément le sens de l'histoire. La prévalence du principe mâle entraîne *« l'inversion psychique »*, c'est-à-dire la figure monstrueuse de la Vierge, et l'homosexualité la plus quotidienne, mais toute la psychanalyse est partie, dans les racines de son histoire, des formes de l'homosexualité : Dora, Schreber, les hystériques. Elle est partie de l'inversion. Parce qu'elle était sur la piste de l'inconscient, et de l'envers des normes : consciemment, la culture interdit, donc elle détermine les a-normaux. Non-conformes : ils le disent assez, et s'en plaignent à juste titre. Ce n'est pas hasard, précise Lacan, s'il termine ainsi un article sur *la Famille*. Taraudée, la famille, par ses propres modèles, prise jusqu'au bout dans l'« *impasse imaginaire de la polarisation sexuelle, quand s'y engagent invisiblement les formes d'une culture, les mœurs et les arts, la lutte et la pensée* ».

Oui, tout est en place. La part femme, et la part homme. La part folle, et la part cultivée. Il ne plaisantait pas du tout, Lacan, lorsqu'il disait que ce qui le différenciait des femmes, c'était qu'il savait, lui, ce qu'il disait : homme, c'est-à-dire cultivé. Porteur du principe de prévalence virile, en face de femmes nécessairement émasculantes, pour peu qu'elles se laissent prendre au sublime. Il va bien falloir en venir à la Mère. Ma digression ne peut encore quitter tout à fait la philosophie : la Mère, c'est d'abord l'image du Tout.

Le « bon » Tout, le Tout parfait, nostalgique et fusionnel, cercle recollé, sphère de Magdebourg, boule, organisme complet, mandala... atome, bille, terre, comme dans le triptyque du *Jardin des délices* de Jérôme Bosch lorsqu'il est fermé. Une sphère grise et verte, filetée de petits nuages, et au-dessus, un torse de Dieu. Le triptyque s'ouvre ; la sphère éclate. C'est la séparation. Nous sommes encore philosophes.

C'est aussi le sevrage. Nous devenons psychanalystes. Au ras du sol. L'idée s'étrangle, et fait mine de disparaître discrètement. La racine de la séparation sera donc le sevrage, cela n'a rien de nouveau. Mais Lacan, à cet endroit de jointure, entre homme et femme, a découvert un « truc ». Un concept du genre « mana », d'une foudroyante efficacité ; une étape toute simple du développement de l'enfant : le stade du miroir.

5. *La pigeonne et le frère de lait*

La scène se passe dans la maison. L'enfant ne marche pas ; il ne parle pas. Il est encore un « bébé », embarrassé de son corps et de ce mot bébête qui le fait petit, jouet, ours en peluche de ses parents. Il est encore nourrisson : c'est qu'on le nourrit, ce petit. Il a six mois, un an peut-être. Il est fille ou garçon, qu'importe. Cela fait déjà un petit temps qu'il se traîne dans les couloirs, qu'il tente de se mettre debout ; et encore plus longtemps qu'il a appris à rigoler, comme font les bébés, qui rient absolument. L'enfant, soudain, se trouve devant la glace. Elle y est depuis toujours, la glace. Près de lui, le guidant vaguement ou le tenant à bras, il y a quelqu'un : qui l'on voudra. Et l'enfant, qui, passant devant la glace, n'avait jamais bronché, s'arrête.

Il s'arrête, et se fend la pêche. Mais cette fois, pas pour rien. Il se retourne vers qui se trouve là, regarde le père, la mère, ou le petit cousin, et se regarde encore. Car, et c'est la première fois, il s'est regardé dans le miroir. Petite scène tout à fait normale ; scène à la Greuze, qu'un Rousseau aurait pu chanter. Loin des fureurs d'Aimée et des grognements neurasthéniques d'Alceste. Scène familiale, dans tous les cas ; et, si un enfant, devant un miroir, ne rit pas, s'il reste grave et fasciné par cette image qui est la sienne et qu'il ne sait pas être telle, le symptôme est inquiétant, l'avenir, compromis. L'enfant, donc, a ri à son image, s'est retourné vers l'autre, s'est regardé.

Important le rire. Avec le génie de l'étrangeté, Lacan nomme ce rire « *l'assomption jubilatoire*[33] ». L'assomption, bien sûr, cela vous a des relents de 15 Août, de Vierge Marie transportée jusqu'à son divin fils par des légions d'anges aux belles ailes. Mais c'est aussi un mot dont les racines se retrouvent dans le verbe « assumer » : l'assomption, c'est le fait de s'assumer. Et c'est la première fois que s'assume le petit d'homme. Cela le fait rire : pas un rire grinçant, pas un ricanement, pas un rire jaune à barbe philosophique. Non ; il jubile, tout simplement. Un nouveau jeu commence. Et quel jeu !

Histoire fort compliquée. L'enfant d'homme n'est pas le seul animal à se reconnaître devant le miroir ; ou plutôt, il n'est pas le seul animal qui réagisse devant une image spécifique. Tout le problème sera de comprendre pourquoi justement il se reconnaît, lui, et aucun autre à sa place.

Les animaux, dont on parlait déjà beaucoup dans ces années d'avant-guerre, réagissent donc aux « imagos ». Petite excursion en terre animalière. La scène se passe maintenant dans le laboratoire du savant Harrisson, vers 1939. Harrisson prend des pigeonnes, et les enferme dans des cages séparées. Les oiselles ne se voient pas, mais elles s'entendent, se sentent. Elles piaillent, battent des ailes. Harrisson les teste : elles n'ont pas ovulé. Bon. Alors il en remet deux dans des cages séparées, mais séparées par des plaques de verre. Elles se voient, les deux pigeonnes, et s'aiment aussitôt d'amour tendre : au bout de deux mois, elles ovulent. Harrisson recommence avec un pigeon mâle et une femelle : l'ovulation a lieu au bout de douze jours. (La morale, toujours...)

Ah ! les braves bêtes. Bien que toutes les expériences animalières ressemblent plus ou moins à l'expérience *princeps* du polytechnicien qui coupe les pattes à une puce, et en déduit qu'elle devient sourde puisqu'elle ne saute plus, il faut admettre la conclusion : l'image-pigeon a déterminé l'ovulation. Et cela va bien plus loin, puisqu'il suffit de présenter un miroir à la pigeonne pour qu'elle ovule. L'*imago* n'est donc pas le propre de l'homme. Elle existe partout où doit se produire une métamorphose des relations de l'individu, animal ou homme, à son semblable. Question d'espèce : réaction spécifique.

Mais l'enfant, lui, n'ovule pas. Il rit. L'ovulation sera pour beaucoup plus tard. Cette anodine plaisanterie rejoint le fond du problème. Il est profondément biologique. C'est même l'un des points les plus radicaux dans la pensée de Lacan : tout ce qui sera formulé comme fantasme, imaginaire, réel, symbolique, tout le tintouin théorique ultérieur n'existe pas sans cette étape, et sans ses conditions précédentes. On peut les résumer sobrement, bêtement, pesamment : l'enfant, voyez-vous, n'est pas adulte.

Entendez qu'il n'est pas fini. Il naît pas fini. Pas le moindre jeu de mots ; l'enfant naît inachevé. C'est même pour cela qu'il ne marche ni ne parle. Prématuration spécifique, on appelle ça : prématuré, incapable de se tenir debout, incapable de maîtriser ses gestes, larvaire — oui, mais. Mais capable, à la différence des animaux, de se reconnaître, lui, dans le miroir. Lui, et aucun autre : ce n'est pas à lui qu'on pourrait faire le coup de la pigeonne. Cette prématuration biologique s'accompagne donc d'une sophistication inhabituelle aux espèces animales, que saint Augustin, souvent cité par Lacan, remarque dans les *Confessions* ; la pâleur mauvaise d'un enfant regardant son frère de lait, est la pire et la plus belle expression de la jalousie. Se retrouve la piste du sevrage ; car, pour qu'advienne cette nécessaire étape, il faut que l'enfant soit séparé du corps de la mère — sevré — et qu'il puisse, en se retournant, regarder quelqu'un d'autre. Ce sera le premier et vrai moment de la séparation. L'acte fondateur de la subjectivité ; l'acte de naissance de tout être humain ; la condition de possibilité du langage : *infans* est celui qui ne parle pas encore. Et le « stade du miroir » précède de loin l'apparition des premiers mots, qui, sans lui, ne pourront jamais se dire.

C'est ici que naîtra la culture. Pour l'homme, et pour l'homme seulement, la relation à la nature apparaît, dès la naissance, marquée d'une discorde élémentaire ; l'enfant, s'il nous attendrit, c'est parce qu'il est discordant. Pas encore vraiment humain ; dépendant, incoordonné, chaotique. La culture lui vient d'abord par image interposée : la sienne propre née d'une séparation. Et il rit. Ce rire est le propre de l'homme.

L'histoire, qui commence là, ne s'arrête pas là. Lacan est bon dialecticien. De la folie, et de l'expérience analytique, il a appris que toute norme comprend son revers, ce qui s'est déjà vérifié avec la belle image femme d'une Vierge fantasmée par des hommes, et mère sans leur concours. Le stade du miroir emporte des conséquences qui vont de la normalité la plus assurée au démembrement le plus psychotique. Voici comment Lacan le dit : « *Le stade du miroir est un drame dont la poussée interne se précipite de l'insuffisance à l'anticipation — et qui pour le sujet, pris au leurre de l'identification spatiale, machine les fantasmes qui se succèdent d'une image morcelée du corps à une forme que nous appellerons orthopédique de sa totalité — et à l'armure enfin assumée d'une identité aliénante, qui va marquer de sa structure rigide tout son développement mental*[34]. »

Une vraie longue phrase. A cette époque, il n'avait pas encore découvert les vertus du « midire », et il disait « tout ». Et ma foi, c'est assez réussi. Mais il y faut une lente décomposition ; dans les écoles, on nomme cet exercice une « explication de texte ». On y brille à peu de frais ; cela consiste en une lecture un peu lente ; on n'est pas plus paresseux.

Le stade du miroir est un drame. Sans connotation pessimiste, elle viendra plus tard. Drame, veut dire action ; Lacan empruntait ce terme à Politzer. Et c'est, de fait, un geste : l'enfant s'arrête, regarde, se retourne, se regarde. Tel est le drame, minuscule et géant.

Mais quel drame ? Le drame noué entre une incomplétude — la prématuration de l'espèce humaine à la naissance — et une anticipation. Anticipation : premier mot décisif. Qu'est-ce donc qu'anticipe l'enfant devant le miroir ? Sa propre figure adulte. Celui qu'il sera plus tard, enfin achevé. Non pas, bien sûr, par une rumination imaginaire consciente ; mais tout d'un coup, par la prise inconsciente — comme « prend » une émulsion — d'un sujet qui n'en était pas un, et qui advient au monde. Pour comprendre toute la portée de cette anticipation, il faut courir jusqu'à la fin de la phrase. Lire l'*armure* en même temps que l'assomption nourrie de rires ; voir l'aliénation qui s'y cache, et qui est inéluctable. Pour être sujet — soi-même — il faut donc une structure, elle est rigide, elle encadre, elle aliène. Dans le secret des mots, se cache un paradoxe complet, puisque l'aliénation signifie aussi le fait d'être autre. Est donc « aliéné » le fou, qui « n'a plus toute sa tête », et qui n'est « plus lui-même » ; mais est aliéné, par un effet inverse, le sujet normal, prisonnier de son identité qui le fait membre d'un groupe, fils de ses parents, doté d'un nom dit de famille, et d'un prénom qui le marque. Lequel des deux sera donc le plus libre ? Est-ce le fou, est-ce vous ou moi ? L'armure normale protège de la folie ; la perdre — Lacan y reviendra souvent —, c'est passer de l'autre côté d'un écran fragile, sauter le pas, et choisir de ne plus communiquer. Pour parler, pour se faire entendre, il faudra ce chevalier en armes, tout bardé d'identité, que l'enfant, au miroir, commence à devenir.

Voyez les Indiens d'Amérique au moment de leurs fêtes ; voyez les incisions, les entailles, les peintures, les labrets passés dans les narines, dans les oreilles ; voyez les mutilations qui font d'un enfant un homme, un guerrier de tribu. Voyez les scènes désormais traditionnelles à la télévision : la première « rentrée » dans la première école. L'enfant, bardé d'un sac, affrontant le regard de ses petits copains, le départ de sa mère, et les premiers savoirs. Voyez la naissance, l'étiquette de sparadrap que l'on attache au poignet du nouveau-né, la déclaration à la mairie ; voyez, ailleurs, les reclus, les enfermés, pour de longues nuits solitaires, entre leur enfance et leur maturité. Voyez les défilés de mode, les tailles hautes, basses, les cous juchés, les négresses à plateau. Voyez enfin la scène la plus anodine, l'enfant au miroir, et qui rit. C'est la même et unique scène, que les ethnologues appellent rites d'initiation, séparations successives, qui font franchir des mondes. Il y aura un monde enfant, un monde adolescent, un monde parent, un monde vieux, et, pour finir, un monde des morts. Et chez nous, ce passage à peine décelable, ce tout petit rite familial. D'où dépendra le futur d'un petit homme qui parle. En son nom propre.

Mais il y a la parenthèse. Entre insuffisance biologique et anticipation de l'adulte, l'armure, soit. Reste ce qui vient se nicher dans la phrase. Cette affaire d'image morcelée, lourde de sens et de références implicites. Derrière le morcellement, passe l'ombre de Mélanie Klein, que Lacan appelle, ailleurs, « *la tripière de génie* ». Et c'est vrai que cette femme au beau visage calme — sur les photographies requises — a fait dans la tripe. Explorant l'univers du tout petit enfant — jeux, questions, harcèlements, déductions, corps à corps — elle y trouve d'horribles et meurtriers fantasmes[35]. Des histoires de cannibales et de vampires, des dévorations intestines, des objets qui entrent dans le corps, y germent ; des dents qui poussent dans le ventre de l'enfant, ou de la mère ; il ne sait plus même s'il est dévoré, s'il dévore, s'il est le ventre frappé, ou l'arme qui frappe. Son corps n'existe pas ; il est un amas de morceaux. Un morceau de sein maternel, un bout de peau, un fragment d'épaule, une bribe de lèvre. Il n'a pas de corps à lui. Il est, à cette précoce étape, corps morcelé, et corps violent.

Or que dit ce morceau de phrase ? Que le sujet passe, au moment du stade du miroir, du corps morcelé à une « *forme orthopédique de la totalité* ». *Orthopédique* : une trouvaille. Bien sûr, ce sera, dans la rigueur du mot et de son étymologie, ce qui aide à aller droit. Mais c'est aussi, et Lacan en joue, qui ne laisse aucun terme au hasard, sauf au hasard logique de l'inconscient, la chaussure ; la béquille ; l'instrument qui rectifie. L'identité du sujet ? Une prothèse. Un quelque chose de surajouté, qui n'existe pas à la naissance, et qui vous aide à être droit en vous-même. Une forme bien en place, celle de la totalité du corps, et voilà, elle est là dans la glace, la forme du corps de l'enfant, et c'est la première fois. Il est vrai qu'il y a de quoi rire...

De quoi rire devant cette farce, spécifique de l'espèce humaine. En accédant à l'*identité*, l'enfant n'accède qu'à l'*identification*. Ce n'est pas tout à fait pareil. Pas du tout pareil. Radicalement différent. Jamais le sujet ne sera vraiment « lui-même ». Il sera fils de, frère de, sœur de, cousin de, amant de, ami de ; il se prendra à la glu des affections où il ne sera pas « lui », mais un autre, une autre. Aimée, pour être vraiment Aimée, s'oblige à frapper une femme, tant elle est sa sœur, à qui elle s'identifie. Les sœurs Papin frappent leur propre image, et s'identifient l'une à l'autre. Le patient s'identifie au psychanalyste, et le psychanalyste, au sien propre, ou à Freud, ou à Lacan qui n'en peut mais. On ne saurait pas même dire que le sujet accède à une « fausse » identité, car il n'en est pas de véritable. N'existe que l'identité civile, juridique, familiale, celle qui vous coince aux appels, à l'école, à l'armée, dans les bureaux de vote, au tribunal, à la mairie. N'existe que l'identité abstraite, celle qui fait que jamais l'enfant ne sera confondu avec un autre, pas même avec son jumeau. Et ce n'est pas tout : l'enfant s'aperçoit dans le miroir, mais c'est une image inversée. Leurre de l'espace, problème philosophique qui n'échappe à aucun philosophe un peu soucieux de structure : Kant, par exemple [36]. L'identité, une peau de surface qui brouille, à jamais, les relations à l'autre. Et pourtant, c'est la seule voie ; puisque, sans ce dispositif, pas de langage, pas de parole destinée à qui que ce soit, pas de vie sociale, mais un destin autiste, muré, interné. Les psychanalystes, au contraire des psychiatres, disent depuis fort longtemps que le fou n'est pas « coupé du réel » ; mais au contraire, envahi par trop de réel, trop stimulé, trop accueillant, poreux au monde. Un crustacé sans carapace, un oiseau sans plumes, un guerrier sans armure. Il n'y a pas de quoi rire.

Ma fille avait raison. Lacan, ce n'est pas gai. Rien pourtant ne contraint la théorie de l'inconscient à se dévoyer dans le tragique, à se complaire dans le nostalgique, à se vautrer dans l'amour du pire. Mais au fond de tout fragment de Lacan gîte le lièvre du désespoir, facile à débusquer. Le voici, pris par les deux oreilles. Lacan n'aime pas le rigide et le banal ; il ne vibre jamais tant que dans l'analyse des moments où disparaît l'identité factice du sujet. La jouissance, et celle de la femme ; l'extase ; la folie délirante ; le passage à l'acte. Quand le sujet se tient là comme un gros benêt parlant, marchant, bouffant, dormant, et qu'il ne lui arrive rien, que de la vie, Lacan s'ennuie. En cela, il est psychanalyste, doté de l'attention sélective au seul malheur. Quand surgit la gaieté, c'est qu'un malade en aura fait une bien bonne ; c'est parce que le langage aura rigolé tout seul. Regardez-le bien, ce stade du miroir et le rire du petit enfant : ce sera le seul épisode à peu près serein. Et encore...

Et encore, cela se déglingue de partout. Le corps morcelé n'est pas seulement l'imaginaire du tout-petit ; à la première fissure, il rapplique. Pour peu que l'angoisse touche profond, pour peu qu'une agression quelconque s'en vienne atteindre l'armure, elle vole en éclats. Le sujet se désintègre. *Membra disjecta* : membres épars. Par deux fois, Lacan rêve des œuvres de Jérôme Bosch, qu'il évoque : « *l'atlas de toutes ces images agressives qui tourmentent les hommes*[37] ». Des organes armés, des oreilles flanquées de couteaux en canons, et qui roulent, des matrices perforées, des couilles en biniou, et qui soufflent, des intestins dévorés par des chiens, et le chevalier en armure ne peut résister à leur morsure, des baisers gluants, des lacs de merde, des étangs d'urine... l'Enfer. On les retrouve, dit Lacan, dans l'anatomie imaginaire, pas celle que les hommes de science dessinent à l'usage des écoles et des apprentissages, mais celle qui, archaïque, agit sourdement à notre insu. Et l'on suffoque, et l'on devient sourd, et l'on a mal au ventre, matrice perforée quand rien d'organique n'y correspond, et l'on se troue l'estomac, et l'on se délabre, de partout... l'Enfer.

Soit, l'Enfer. Il y est, tout infecté des guerres et des plaies d'Égypte du xvᵉ siècle où vivait Bosch. Mais il existe un Paradis où de tranquilles monstres à trois têtes viennent boire dans une fontaine de cristal rose ; où paissent des troupeaux d'éléphants, de blanches girafes, sous le regard d'un dieu en toge, cependant que s'éveillent, nus, l'homme et la femme. Seul un petit lynx, emportant dans sa gueule, discrètement, un mulot noir, signale la perturbation prochaine. Il existe également un Jardin des délices, Diable, oui ! Un jardin où les fruits, les oiseaux et les amants mêlés représentent tout plaisir, toute transgression sereine, toute perversion retrouvée. Croyez-vous qu'il existe une seule image paisible ?

Détrompez-vous. Les grandes bulles veineuses où des être nus et souples font l'amour ? « *Il n'est pas (...) jusqu'à la structure narcissique qu'on ne puisse évoquer dans ces sphères de verre où sont captifs les partenaires épuisés du jardin des délices*[38]. » Captifs... Épuisés... Il est loin, le plaisir. En creux, se pose une question lancinante, que Lacan, en s'adressant aux analystes « bêtes » ou aux analystes « canailles », n'aura cessé de soutenir. La question de l'éthique, la possibilité d'une morale. En droit, le psychanalyste doit s'en écarter, sous peine de dirigisme à l'américaine. Ni le plaisir ni le bonheur ne peuvent se définir comme références, à peine peuvent-ils s'évoquer au passage, comme une fenêtre entrouverte par où s'échappe l'oiseau, trop vite, déjà il a disparu... Mais inversement, le malheur, lui, sera toujours présent. Lacan le dit en sa langue travaillée ; mon amie Myriam, psychanalyste en province et fort peu soucieuse de lacanisme, le dit à sa manière, au bout de longues années de pratique : « *On ne peut jamais rien faire pour les gens.* »

Postulat premier de la psychanalyse : se tenir au plus loin de toute entreprise altruiste. Postulat contre nature : car, si même les analystes découvrent dans le secret de leur biographie que leur altruisme recèle un envers sadique, il n'en reste pas moins que la fonction strictement sociale de la psychanalyse est l'aide. De ce dilemme, que bien d'autres, avant Lacan, avaient repéré — Groddeck fulmine contre ceux qui veulent toujours « aider » — les analystes, glosant à perte d'inconscient sur leur « désir d'être analyste », ne sont pas prêts de sortir. Le conflit entre Lacan et Françoise Dolto comprenait en partie un enjeu moral : d'un côté, Dolto, son idéologie évangélique et son message de grand-mère rassurante, de l'autre, Lacan, ses idéologies cultivées, son hégélianisme malheureux, et son refus absolu de délivrer un message. Mais comment pouvait-il sortir d'un antiprophétisme qui prenait, pour se dire, les formes rhétoriques d'un prophétisme à l'usage des clercs ? Refus du message : résultat, message sur-entendu, mal-entendu. Les psychanalystes lacaniens, à de rares exceptions près, allaient donc, comme un seul homme, patauger dans la désespérance. Ils y sont encore.

Il faut dire que les images terrifiantes du corps morcelé, version Jérôme Bosch, et Paradis en moins, ne sont pas les seules à engendrer un paysage tragique. Lorsque le corps morcelé cède la place à l'armure du sujet — et à son identité déjà définie comme aliénante — advient donc la formation du « je ». Camp retranché ; entouré de gravats et de marécages... c'est la « quête de l'altier et lointain château intérieur », (le « for intérieur ») que l'on trouve dans les mécanismes compliqués de la névrose obsessionnelle. Kafka succède à Jérôme Bosch ; c'est le même univers, éclaté, ou défensif. Le « je » fragile ne sera qu'une faible défense, amorce de ce lieu de passage pour l'Inconscient que Lacan décrira plus tard, lorsqu'il ira piocher dans la linguistique de quoi poursuivre la théorie de Freud. L'agressivité taraude de partout la belle unité si fraîchement acquise, et le rire de l'enfant n'aura été, comme le rire philosophique, qu'un éclat instantané.

Le premier texte sur le stade du miroir se termine par deux affirmations aussi morales et rigoureuses l'une que l'autre. La première est une critique violente du sentiment altruiste — l'apparition de l'Autre, qui coïncide avec le stade du miroir, est corrélative d'un jeu de rapports, qui, d'emblée, menace la fragilité du sujet à peine advenu. L'enfant se regarde, se retourne vers l'autre — et rit. L'Autre lui garantit l'existence, et la différence ; mais l'agressivité est constitutive du sujet. « *Le sentiment altruiste est sans promesse pour nous, qui perçons à jour l'agressivité qui sous-tend l'action du philanthrope, de l'idéaliste, du pédagogue, voire du réformateur*[39]. » Et d'un : la psychanalyse devra donc trouver une autre voie que l'éducation. En filigrane, l'action politique se déboute déjà d'elle-même. Il n'y a pas de rapport sexuel ; il n'y a pas d'action pédagogique ; il n'y a pas d'action politique. « *Il n'est pas en notre seul pouvoir de praticien de l'amener* [le patient] *à ce moment où commence le véritable voyage*[40] ». « *On ne peut rien faire pour aider les gens.* » Dont acte ; ce n'est que le premier temps d'un long conflit entre le psychanalyste et le corps social.

L'autre affirmation n'est pas moins violente. « *La psychanalyse seule reconnaît ce nœud de servitude imaginaire que l'amour doit toujours redéfaire ou trancher*[41]. » Servitude : le mot rejoint une certaine tradition stoïcienne, qu'Étienne de La Boétie, avec la notion de « servitude volontaire » avait appliquée à d'autres terrains. Mais pour l'analyste, et de deux, la servitude est parentale, et les images, indéfiniment familiales. L'évocation de l'amour passe comme une aile — « *Ta tête se détourne / Un nouvel amour* » — l'amour, à peine capable mais seul capable de lutter contre la force insubmersible des vieilles et puissantes images surgies du complexe du miroir. Le nœud sera toujours gordien, et ce n'est pas l'analyste qui pourra jamais le trancher.

6. *Entre l'homme et l'œuf*

Ainsi la séparation entre la mère et l'enfant, entre l'enfant et son image commandent toute séparation. Dans son ultime texte, Freud appelait « *Ichspaltung* » le clivage fondamental qui définit tout sujet humain. Et, si c'est peut-être au sevrage qu'il faut attribuer la date où commence la période de formation du « je », et l'apparition du rire de l'enfant au miroir, la séparation va bien au-delà des gestes éducatifs qui séparent l'enfant du corps accueillant de la mère. Pour en parler, Lacan invente une fable. Cela ne lui arrive pas souvent. Il crée un mythe, et raconte. Comme Aristophane raconte, dans le *Banquet* de Platon, la belle histoire de l'être androgyne, à quatre pattes, qui fut fendu en deux par un Zeus mécontent : l'androgyne, recousu de partout, tête inversée, cherche depuis lors à se reconstituer comme totalité sphérique, chaque moitié s'agrippant à ce qu'elle croit être son autre moitié. Oh, ce n'est pas la fable que Lacan emprunte à Platon. C'est le *style* même du *Banquet* : la conversation de table, qui peut passer sans crier gare des propos éméchés à la poésie pure, et qui, à travers le canular, trouvera une expression détournée de la vérité. Et le canular est sublime[42].

Imaginez, dit Lacan, ce qui se passe au moment de la naissance. Un œuf se rompt — le sac amniotique, qui crève pour faire place à l'enfant. Imaginez que quelque chose en sorte, de l'œuf, au moment précis où il se brise. Quelque chose qui ne soit pas le « délivre », nom poétique donné par les sages-femmes au placenta ; quelque chose qui s'envole en même temps que les membranes iront à la poubelle. Une sorte de lamelle, plate comme une crêpe, glissante comme elle, et aussi vivante qu'une amibe. Voilà donc la lamelle sortie de l'œuf, et prête à s'approprier la surface où elle s'installera. Elle est immortelle — née de la séparation, mais elle-même résistante à toute division. Du même coup elle est asexuée ; et elle ne connaît aucun obstacle. Imaginez un peu, continue Lacan, qu'elle vienne se glisser sur vous, pendant que vous dormez... « *Voilà quelque chose qu'il ne serait pas bon de sentir se couler sur votre visage, sans bruit pendant votre sommeil, pour le cacheter...* » La fable vire à la science-fiction. Et le canular, à l'horreur. Le dormeur innocent se retrouve au réveil avec ce vampire fluide qui commence, tranquillement, à le digérer. Et savez-vous comment Lacan nomme cette crêpe-amibe ? L'Hommelette. Bien sûr : « *A casser l'œuf, se fait l'Homme, mais aussi l'Hommelette.* » Un compromis entre l'Homme et l'œuf.

L'Hommelette n'a pas été inventée, même en un propos d'ivrogne légèrement simulé, pour le simple plaisir d'un jeu de mots. Lacan n'en était pas encore là, à supposer qu'il en soit jamais arrivé à un stade totalement ludique. L'Hommelette, c'est ce que Freud, lui, appelait la « libido ». Il est vrai que ce terme latin, aux consonances épaisses, n'a jamais été bien clair, et que la fable aide à comprendre pourquoi la libido est irrésistible. Pourquoi elle est indestructible ; pourquoi Freud la rangeait du côté de l'instinct de vie. Et pour cause, dit Lacan : dans cette fable, la libido est un organe vivant, essentiellement immortel, puisque c'est le seul « organe » né de la séparation et qui ne puisse, en aucun cas, être scindé. Ni en homme ni en femme. L'essence de l'œuf, en quelque sorte. L'équivalent mythique de la petite âme médiévale qui s'envole au moment de la mort : sauf à dire que c'en est l'inverse, puisque cette âme amibienne tout imaginaire s'envole, elle, au moment de la naissance. Et envolée, elle est à jamais perdue.

Or, à partir de cette histoire banale — la naissance, l'œuf qui se brise, la séparation du fœtus d'avec le sac amniotique — Lacan, construisant un mythe à l'antique, invente encore bien autre chose. L'Hommelette figurera tous les objets du désir. Tout au long de sa vie, l'Homme, séparé de l'Hommelette, la sentira se poser à quelque point de son corps, habité pour un temps par un désir local. Rien à voir avec le fumeux désir d'une sphère idéale où le corps de l'autre aimé excite en totalité le désir. Le désir, germant dans la crêpe, se niche ici ou là ; jamais mieux que dans le détail, l'infirmité légère, l'œil qui cligne, la mèche de travers, le petit défaut, le trait minuscule, le fouet en cuir, le pénis postiche... Le fétiche. Pour mieux en parler — alors que Freud hésite, bégaie, chemine et rumine —, Lacan se sert d'une drôle d'expression : *l'objet a.*

Prononcez : l'objet-petit-a. Ce fut longtemps l'un des tics les plus convenus des lacaniens. Ravis de pouvoir épater l'interlocuteur avec un mot fermé sur lui-même, un mot slogan, un mot codé, un sigle qui, peut-être, se décomposerait, sait-on, en initiales de société secrète...

L'objet-petit-a. Il n'y a pourtant pas de quoi en faire un plat, sauf peut-être, justement, avec l'œuf de tout à l'heure. Une fois le sujet dûment constitué, équipé de pied en cap avec sa belle armure toute neuve, prêt à agresser ou chérir — c'est pareil — qui se présentera devant lui, il faudra bien qu'il désire. Freud déjà avait trouvé que l'objet du désir n'avait rien d'une totalité : et d'abord, tout simplement, qu'il existait un « objet » du désir. Ce que les poètes baroques avaient si bellement chanté en parlant des « objets de leur flamme » était à prendre au pied de la lettre — encore. Et le désir ne cherche pas le sujet, dont il se fout ; il cherche l'objet. Objet nécessairement partiel ; petit objet minuscule — « le petit », disait Freud, mais aussi Georges Bataille[43].

Un pas de plus : c'est un petit objet déchu. Tombé du corps, en même temps que l'enfant, et les membranes : revoilà notre Hommelette, qui symbolise l'objet du désir.

Que le désir se repaisse d'un déchet, c'est une plaisanterie superbe dont Lacan a toujours su ménager la surprise. A tout prendre, la fable de l'Hommelette prenait encore quelques précautions. Dans *Télévision*, aucune précaution n'existe, puisque le jeu accepté est celui d'une totale provocation rhétorique. Et qui Lacan pouvait-il évoquer mieux que Béatrice, l'Aimée de Dante, l'absolu symbole de l'amour le plus pur ? « *Un regard, celui de Béatrice, soit trois fois rien, un battement de paupières et le déchet exquis qui en résulte : et voilà surgi l'Autre[44]...* »

Trois fois rien, ou le coup de foudre. Trois fois rien, ou la fleur de cassie que Carmen jette à Don José. Trois fois rien, ou la passion du cuir et du caoutchouc qui alimente certaines petites annonces de *Sandwich*. Une affaire de déchets : le placenta s'en va à la poubelle, mais la libido est une poubelle vivante. L'objet dit « petit a » représente, dans le vocabulaire de Lacan, ce petit machin qui déchaîne le désir. La liste en est longue — mais pas interminable ; elle comprendra des « objets » qui, tous, ont du rapport avec une séparation. *Le sein* — pour aller dans la banalité — parce que l'enfant le perdra, et parce qu'il renvoie à l'« organisation mammifère » qui comprend aussi l'œuf, et le placenta. *Le pénis*, parce qu'il est imaginé détachable, ou coupable. *L'enfant*, le « tout-petit », tombé du corps de la mère. Il se rencontrera dans les mythes : c'est le petit bout du phallus d'Osiris, dont le corps lacéré par les crocodiles fraternels fait l'objet de la quête d'Isis, et elle ne retrouvera pas le morceau unique qui, à jamais, manquera au dieu, désormais voué à n'être plus que le modèle des momies... C'est la tête d'Orphée, déchiré par les Bacchantes, et la tête vogue de fleuve en fleuve jusqu'à l'île de Lesbos où la recueillera un berger. L'objet « petit a » se retrouve sur le corps, partout où existe une voie de passage entre l'intérieur et l'extérieur. Le souffle, la voix — et le chant qui en est l'expression la plus sublime ; l'étron, l'urine, tombés du corps, déchets véritables — objets, parfois, de désir.

Aussi bien Lacan sera-t-il sans illusions sur ce qu'est le livre. La page blanche pour l'écrivain ? « *L'étron de son fantasme.* » La publication d'une œuvre ? La « *poubellication* ». Contemporain de Samuel Beckett, Lacan a le sens de la poubelle. Berceau des déchets, lieu de recueillement des ordures, la poubelle, sublimée, devient grandiose. A moins que ce ne soit le livre qui, dérisoire, rejoigne le statut de merde que souvent l'opinion lui reconnaît.

Et *le regard*, enfin, est un objet-petit-a, qui va de l'intérieur du crâne à l'Autre. Le regard de Béatrice. Là où le corps est troué, passe la lamelle amibienne. Se glisse la libido. Se précise le petit objet qui fera surgir le désir. Il a l'air de quoi, Dante, à la recherche d'un déchet[45] ? L'Autre est une mascarade — la mascarade féminine, ou la parade masculine ; l'Autre, rien d'autre que le support d'un déchet. Décidément, il n'y a pas de rapport sexuel... « *Pour le reste, la relation sexuelle est livrée aux aléas du champ de l'Autre. Elle est livrée à la vieille de qui il faut — ce n'est pas une fable vaine — que Daphnis apprenne comment il faut faire pour faire l'amour[46].* »

L'amour, qu'on « fait » sans rapport, sans rapport avec l'amour : Lacan, de vrai, est un passionné de la chose. Le chemin des femmes folles, s'il l'a toujours conduit vers l'énigme de la jouissance féminine, passe par la clairière du miroir. Le lieu où se croisent les chemins, tous les chemins. Celui de la folie et de la norme familiale ; celui de l'enfant séparé de sa mère, qui le regarde et qu'il regarde aussi ; celui du récit et de la théorie ; celui du style et de la pensée.

Lacan, peut-être, n'a jamais rien *pensé* d'autre que le stade du miroir. Le stade du miroir fut une vraie découverte : moins pour l'observation, que d'autres avaient pu faire en même temps, que pour l'élaboration qu'il en fit. Tout y est contenu en germe.

Tout, mais tout quoi ? L'essentiel est presque dit. Lorsque survient la guerre, la pensée de Lacan est formée. Il lui restera à en faire école. La période rhétorique en fera son affaire : mais elle n'inventera plus rien, qu'une somptueuse pédagogie, aux limites d'elle-même, toujours prisonnière de sa contradiction insoluble : comment enseigner sans enseigner, comment être sujet sans division — comment être Lacan, comment être homme, et femme.

CHAPITRE III

LA BOUCHÈRE NE VOULAIT PAS
DE CAVIAR

*L'exclusion de Lacan ; la direction de la cure et la morale
de la psychanalyse : questions et pouvoirs.*

1. *Drôle de drame*

Vint le temps où Jacques-Marie Lacan, ancien chef de
clinique, devint Lacan tout court. Cette transformation
demanda toute une série de ruptures, une scission, une
exclusion, qui accouchèrent en 1964 de l'acte fondateur
de l'École freudienne : la même, précisément, qu'il
décida de dissoudre en janvier 1980. Comment le psychiatre de bonne famille, promis à un grand avenir
institutionnel et social, se transforme-t-il en excommunié ? Peut-être est-ce la part de son histoire dont s'inspira
la couverture du magazine : la cravate en bataille, la
main levée, l'air ridicule et colérique, Lacan prend
l'allure d'un casseur. Oui, il y eut de la casse. Mais elle

avait un sens. Et pour comprendre le geste de la dissolution, qui répète, presque à ciel ouvert, le geste de la « casse » originelle, il faut revenir à cette histoire rompue : 1953-1964. Elle aura eu des prétextes, des raisons, des énigmes, des travers. Mais elle touchait, quoi qu'il en soit de ses multiples vérités, au cœur même de l'éthique de la psychanalyse, ce ver dans le fruit, ce couteau dans la plaie. Lacan, par ses pratiques fortement déviantes, mettait en cause la morale, dont il traitait à sa façon, au-delà du bien et du mal. Là où les autres se contentaient de « fortifier » l'analysant avec quelques vitamines psychiques, Lacan cherchait le désir, le manque, la destruction du Moi, qui, abolissant les refoulements défensifs, devaient libérer le sujet. Il employait des moyens radicaux. Tout cela ne plaisait guère à l'Institution, pas davantage que le reste.

Drôle de drame. Les personnages y sont figés dans leurs rôles, comme dans un mélodrame, ou un vieux film[1]. On y trouvera le traître amical, le vieux fou hors circuit (amoureux de ses mimosas), le répressif anxieux et rigide (« Bizarre, bizarre... ») et l'emmerderesse professionnelle qui, par goût de l'autorité, sème la pagaille. La princesse Marie Bonaparte — à qui l'on dut en son temps le salut du vieux Freud, qu'elle racheta aux nazis et fit sortir d'Autriche — était à l'époque, au sein de la Société psychanalytique de Paris, une puissance. Elle semble n'avoir pas eu son pareil pour conclure des alliances aussitôt dénoncées : on la retrouve cachée dans les textes rassemblés par Jacques-Alain Miller, en deux volumes, sous les titres de *La Scission de 1953* et *L'Excommunication*. Le petit monde analytique s'agite, une fois encore ; il ne s'agite d'ailleurs guère plus qu'aucune autre communauté institutionnelle, qu'elle soit syndicale, politique, professionnelle. (Il faudrait peut-être en finir une bonne fois avec l'idée assez fausse que les groupes d'analystes, plus que tous les autres groupes humains, sont en proie à des discordes essentielles, plus répétitives et plus profondes qu'ailleurs. Il faudrait peut-être en finir, une fois pour toutes, avec l'idée que les psychanalystes sont autrement faits, quand ils sont en tas, que le commun des mortels.) Mais il s'agite, et c'est autour de Lacan, pour la première fois de son histoire à lui.

Pourquoi fut-il exclu ? La chose est singulière, et assez peu dramatique en son déroulement. Avant la guerre existait une Société psychanalytique de Paris, dont la fondation remontait à 1926. En 1946, ayant perdu quelques-uns de ses membres, elle reprend ses activités. Jacques Lacan, naturellement, s'y trouve, comme il est normal pour un psychanalyste dont le cursus, jusque-là, n'avait suscité que des éloges. En 1948, il fait partie de la « commission de l'enseignement » ; déjà, il s'implique dans ce qui sera une « mission » et une croix : la formation, la transmission. Jusqu'en 1953, rien ne bouge. Mais à cette date, le président de l'époque, Sacha Nacht, propose de fonder un Institut de psychanalyse dont il serait, bien entendu, le directeur. On obtiendrait ainsi la reconnaissance officielle d'un diplôme de psychanalyste, exclusivement réservé aux médecins. (Cette histoire traîne encore aujourd'hui ; Sacha Nacht n'est plus, mais d'autres nourrissent à sa place un projet identique.) Les non-médecins psychanalystes se rebellent à juste titre, sous l'étendard de la princesse Bonaparte, qui n'était pas médecin. Tensions, batailles, Nacht finit par démissionner. On élit Lacan directeur de l'Institut. On se prépare à l'élire à la présidence de la Société. Tout va bien pour lui, quand, brutalement, la princesse tourne veste, et se dresse contre lui. Il paraîtrait que Lacan avait oublié — l'étourdi — de lui garder ses fonctions honorifiques. On entre alors dans les confusions (« c'est toi, non ce n'est pas moi, c'est l'autre, pourquoi le trahis-tu, mais ce n'est pas moi, c'est toi, etc. »), les alliances basculent, Lacan, élu quand même, démissionne quelques mois plus tard. Avec lui, quelques amis fonderont la nouvelle Société française de psychanalyse.

Ce n'est, jusque-là, qu'une scission de plus. Lacan n'est pas encore seul ; il ne le deviendra qu'en 1964. Entretemps, la nouvelle société demande son affiliation à l'« Internationale » des psychanalystes (I.P.A., International Psycho-Analytical Association) ; démarche tout à fait normale, qui n'aurait dû susciter aucune difficulté. Or bientôt il apparaît, selon les documents édités du côté de Lacan, et en l'absence de dossiers publics émanant de la partie adverse, que la condition requise pour que cette affiliation soit accordée est simplement l'abandon de Lacan. Qu'il soit exclu, et, cette fois, sans espoir de retour. Qu'il soit exclu, lui, et les plus proches de ses alliés. La plupart des anciens amis s'y prêteront. Pas tous : avec ceux qui refusent, Lacan fonde sa propre école, l'École freudienne de Paris. En 1980, aussi seul qu'il prétendait l'être alors, il la dissout pour recommencer.

Ce que je viens de retracer à grands traits, c'est *comment* il fut exclu. Le *pourquoi* demeure difficile à décrypter ; à travers les lettres, les échanges de documents, les courtoisies meurtrières et les menues traîtrises, on trouve à grand-peine les vraies causes. Parmi les témoins de l'époque, Jean Laplanche, qui se rallie à l'Internationale en 1964, parvient à en dire un peu plus. Dans une intervention publique, il parle de l'« *obstacle majeur* » qui s'opposait à l'affiliation. « *Obstacle majeur constitué par la position particulière de Lacan dans notre groupe, par sa pratique didactique considérée dans son ensemble, enfin par ce que sa personnalité paraît offrir d'irréductible aux exigences d'une loi partagée. Reconnaissez-le : ce ne fut pour personne une surprise. Nous savions tous très bien que là serait l'os, qu'il ne pouvait en être autrement : mille propos entre amis, où la vérité sait filtrer mieux que dans les assemblées, pourraient en témoigner[2].* »

Lacan, l'os, l'irréductible. Irréductible aux exigences d'une loi partagée : on ne saurait plus élégamment le désigner comme emmerdeur, ce que bien entendu il est, comment le shaman ne le serait-il pas ? Car voilà sans doute l'essentiel de la transformation. S'opère alors, pendant toutes ces années, une manière de révélation shamanistique. Lacan, manifestement, souffre : les lettres qu'il envoie à ses amis en témoignent, et les mots qu'il prononce. Il ne se laisse pas exclure aisément ; il n'y va pas comme au martyre. Et pourtant, au terme du processus, il évoque à son propos, l'excommunication de Spinoza, le 15 janvier 1964 : tout était consommé. Parlant des exigences de l'I.P.A., il dit à son séminaire : « *Il est formulé que cette affiliation ne sera acceptée que si l'on donne des garanties pour que, à jamais, mon enseignement ne puisse, par cette société, rentrer en activité pour la formation des analystes. Il s'agit donc là de quelque chose qui est proprement comparable à ce qu'on appelle en d'autres lieux l'excommunication majeure. Encore celle-ci, dans les lieux où ce terme est employé, n'est-elle jamais prononcée sans possibilité de retour. Elle n'existe sous cette forme que dans une communauté religieuse désignée par le terme indicatif, symbolique, de la synagogue, et c'est proprement ce dont Spinoza fut l'objet. Le 27 juillet 1656 d'abord [...] Spinoza fut l'objet du "kherem", excommunication qui répond bien à l'excommunication majeure, puis il attendit quelque temps pour être l'objet du "chammata", lequel consiste à y ajouter cette condition de l'impossibilité d'un retour*[3]. » A persécuté, persécuté et demi ; Lacan trouve en Spinoza — à qui il avait déjà emprunté l'exergue de sa thèse — un parfait modèle pour une vie de saint. Au « *kherem* » correspond la scission de 1953 ; au « *chammata* », celle de 1964. Fallait-il que Lacan aspirât à un destin d'exception pour oser comparer son histoire à celle d'un philosophe dont la solitude, la hauteur et l'ascèse sont pour tous les philosophes une référence de perfection ! Fallait-il qu'il s'identifiât à l'exclusion hors du groupe pour parvenir à ces mots qu'il énonça en fondant son école : « *Je fonde, aussi seul que je l'ai toujours été dans ma relation à la cause psychanalytique, l'École française de psychanalyse...* » C'était le 21 juin 1964. J'en parle comme les grognards de l'Empire, pardi, j'y étais. Et d'y avoir été, je me souviens bien qu'il n'était pas seul du tout, le vieux... Cependant il ne mentait pas. Quelque chose en lui avait trouvé la solitude.

Comment devient-on shaman ? L'enfant élevé dans le groupe peut ne pas se distinguer, en apparence, de tous les autres. Parfois, on sait d'emblée : il a les yeux vairons, un pied-bot, il est épileptique. Parfois, rien ne le signale. Ainsi chez les Surel, au Népal, dans le village de Suri[4]. Le shaman, le « poembo », interrogé par Alain Fournier en 1969, a raconté la naissance de sa vocation. Quand il eut neuf ou dix ans, son grand-père l'envoya garder les buffles près des rivières. Le soir, quand tomba la nuit, il se mit à trembler, à entrer en transe. Le lendemain, on le trouva inconscient, aveugle et sourd. On consulta sa tante, elle-même shamane ; elle découvrit en consultant les esprits que l'esprit de la rivière avait été offensé : l'enfant avait fait traverser les buffles à un endroit interdit. Pour libérer l'enfant, l'esprit de la rivière demandait qu'il devienne à son tour shaman. Ce qui advint en effet. Ce scénario de la vocation shamanistique est fort courant : ou bien la « faute » se manifeste sur le corps, et l'enfant est désigné à sa naissance, ou bien elle se révèle plus tard, une fois la faute accomplie par l'enfant, à l'improviste. La faute est dans tous les cas nécessaire : elle se produit, presque toujours, par inadvertance. C'est par inadvertance qu'Œdipe tue Laïos à la croisée des chemins, par inadvertance qu'il épouse Jocaste, etc. L'étourderie rejoint le destin.

Telle est bien la conclusion de Mary Douglas quand elle analyse, en anthropologue, la « pollution ». *« Les "polluants" ont toujours tort. D'une manière ou d'une autre, ils ne sont pas à leur place, ou encore ils ont franchi une ligne qu'ils n'auraient pas dû franchir et de ce déplacement résulte un danger pour quelqu'un. [...] La pollution se fait le plus souvent par inadvertance [...]. C'est un danger qui guette les étourdis[5]. »* Bien plus tard, Lacan intitulera l'un de ses séminaires : l'Étourdi. Et, en 1964, par « étourderie », sans doute, il se retrouvait déviant, marginal, exclu : frappé de la solitude qui affecte à jamais le shaman, et le coupe de son groupe qui pourtant utilise et vénère ses pouvoirs. La famille de l'enfant népalais se désola des ordres de l'esprit de la rivière ; mais il n'y avait rien d'autre à faire. Lacan serait donc seul au beau milieu d'un groupe qui l'adore et le hait, le rejette et s'en sert. Seul comme le héros dont il retraçait le destin, celui du héros de la loi du cœur et du délire de la présomption : le brigand révolté, le Robin des Bois de la psychanalyse. « *Alors*, écrit Hegel dans la *Phénoménologie de l'Esprit*, *la conscience universelle dénonce l'ordre universel comme une perversion de la loi du cœur et de sa félicité ; des prêtres fanatiques, des despotes corrompus aidés de leurs ministres qui, en humiliant et en opprimant, cherchent à se dédommager de leur propre humiliation, auraient inventé cette perversion exercée pour le malheur sans nom de l'humanité trompée*[6]. » Les prêtres fanatiques et les despotes corrompus : les mandarins de l'Institution. Leurs ministres : ceux des psychanalystes français qui bientôt trahirent Lacan. La « perversion » : la psychanalyse elle-même, capable de répéter en son sein l'histoire somme toute banale de tous les groupes où existent des déviants, qui, s'ils en ont la force, deviennent shamans, avant de fonder leur propre groupe. Désormais, oui, Lacan était seul. Tel était sans doute l'objectif secret de son chemin antérieur.

Quelle ligne de « pollution » avait-il donc franchie, qui le rendait dangereux aux yeux de ses pairs ? La rumeur faisait déjà état de séances d'analyse à durée variable. Pour l'Institution officielle française, la durée avait été fixée — pourquoi ? — à trois quarts d'heure immuables. Freud, dont les séances étaient fort longues, mais dont les analyses en durée globale étaient courtes quand on les compare aux années d'une psychanalyse normale dans la France d'aujourd'hui, n'avait pas sur ce point fixé de règles établies. Et Lacan avait, en argumentant longuement, établi que les séances devaient s'ajuster au discours du patient ; soit longues, soit courtes, et en tout cas, variables. Ce point n'était pas un détail ; Lacan ne l'entendit d'ailleurs pas comme tel. La question du temps est centrale ; elle implique toute une morale. Et c'est bien ainsi que Lacan la pense : l'oreille taraudée par la morale, comme pouvait l'être Aimée à la recherche de la pureté du monde, ou les sœurs Papin vengeresses de leur condition de domestique, ou Alceste en quête d'un lieu de liberté. Les « fous », autres déviants, servent de référence implicite : ils ont une part de vérité qui peut être un enseignement.

Exclu, Lacan se met à penser l'envers. Déjà, la phase du miroir supposait une inversion : entre l'image et le réel. Déjà, les femmes folles inversaient l'ordre du monde, et le délire disait vrai, parce qu'il manifestait une profonde subversion. A partir de ce moment précis, Lacan systématise l'inversion. Le psychanalyste devient le porte-parole du silence : premier paradoxe. Le contrat analytique, le modèle à l'envers du contrat normal de communication, où deux humains se parlent, l'un répondant à l'autre : dans le dispositif analytique, l'un parle, l'autre ne répond pas. L'action analytique enfin est à l'inverse de l'action normale : une action neutre, une « non-action ». Par tous ces points, Lacan commence à constituer, avec sa théorie de la psychanalyse, un modèle en creux de la communication, d'où le psychanalyste tire des effets de vérité et d'efficacité thérapeutique. Ayant éprouvé sur lui-même « *le dur travail du négatif* », qui est la loi de composition du système hégélien, Lacan se met à l'appliquer, avec rigueur, à sa pratique. Et dans le même temps, il commence à enseigner, au creux même de son exclusion. C'était, à vrai dire, à prendre ou à laisser : de l'autre côté, on ne lui laissait pas le choix. Spinoza avait choisi la discrétion d'un philosophe qui voulait que son œuvre posthume fût publiée anonymement : c'était un choix philosophique. Lacan fit le choix contraire : celui du prophète. Celui qui sera, selon Pierre Bourdieu, « *moins "l'homme extraordinaire" dont parlait Max Weber que l'homme des situations extraordinaires, celles dont les gardiens de l'ordre ordinaire n'ont rien à*

dire, et pour cause, puisque le seul langage dont ils dispo-
sent pour les penser est celui de l'exorcisme[7] ».

2. Suspension de séance

1953. Les querelles autour de Lacan battent leur plein.
La scission déjà se dessine. Lacan prononce un discours,
prévu initialement pour être le rapport du « Congrès des
psychanalystes de langue romane », une très officielle
rencontre. Très vite, on demande à l'importun de n'être
pas rapporteur. Mais il fait son discours quand même,
devant ses amis et supporters. Et pas n'importe où : à
Rome.

Et il sait bien où il parle, Lacan. La « Ville universelle »
— il ne l'a pas inventée — le frappe de multiples
connivences. Celles qu'il dit, et celles qu'il ne dit pas.
Celles qu'il dit : « *bien avant que s'y révélât la gloire de la*
plus haute chaire du monde, Aulu-Gelle, dans ses Nuits
attiques, *donnait au lieu dit du* Mons Vaticanus *l'étymolo-*
gie de vagire, *qui désigne les premiers balbutiements de la*
parole[8] ». On aura compris : le Vatican, ce n'est pas
seulement le pape, dont, au passage, Lacan chipe l'image,
mais le fondement même de la parole. Ce qu'il ne dit pas,
mais qu'il n'a sûrement pas oublié, c'est que Rome fut,
dans le roman personnel de Freud lui-même, un lieu
investi de magie : attirant, et maléfique. Un lieu maudit,
et nécessaire : oui, ville fondatrice, pour toute communauté en train de naître, qu'elle soit cité romaine, qu'elle
soit religion universelle ou qu'elle soit une nouvelle
forme de psychanalyse. Ce rapport manqué s'appelle,
dans les *Écrits*, « *Fonction et champ de la parole et du*
langage en psychanalyse » : classique. Mais on lui donne
toujours un autre nom : *le Rapport de Rome*. Quelque
chose comme l'Appel du 18 juin. Le ton avait changé ;
solennel, touchant parfois à l'emphase, il était devenu
celui d'un mage. Le *Rapport* se terminait par une incroyable invocation, extraite des *Upanishads*. Des novices

légendaires demandèrent, à la fin de leur noviciat, à leur maître Prajapâti de leur parler. « Parle-nous... » Et Prajapâti leur parle. Peu. A chacun, il dit le même mot : « Da. » Et chacun entend ce qu'il veut : les uns, soumission, les autres, don, les derniers enfin, grâce. Prajapâti répond à tous : « *Vous m'avez entendu.* » Le « *mi-dire* » est en train de naître ; Lacan venait de rencontrer son mythe.

Preuve supplémentaire que l'acte était fondateur : ce qu'il en dit lui-même, en 1966, au moment de la parution des *Écrits*. « *Un rien d'enthousiasme est dans un écrit la trace à laisser la plus sûre pour qu'il date, au sens regrettable.* » Lacan déteste son passé, toujours : enthousiaste, le *Rapport de Rome* lui paraît donc dater. Ses lettres, ses écrits de cette époque, publiés dans *Ornicar ?*, lui font horreur : il l'exprime en exergue. Il se renie à mesure qu'il avance, à l'inverse de l'auteur qui, soigneusement, classe ses petits écrits dans la chemise où traîne le fantasme des « œuvres complètes ». Non, le narcissisme de Lacan n'est pas de cette eau-là. Plus profondément politique, religieux, j'ai presque envie de dire « national ». De Gaulle s'était fait une certaine idée de la France ; Lacan, lui, s'était fait une certaine idée de la psychanalyse. Cela, et cela seul, l'intéressait à s'y identifier. Et c'est à Rome qu'il s'y décida : expatrié comme de Gaulle. Seul, après avoir déjà trouvé les traits fondamentaux de son système, que dès lors il magnifie dans un enseignement qui commence. L'heure est venue de la prophétie ; elle parle, justement, de la parole, seul moyen de la psychanalyse. « *Qu'elle se veuille agent de guérison, de formation ou de sondage, la psychanalyse n'a qu'un médium : la parole du patient. L'évidence du fait n'excuse pas qu'on le néglige*[2]. »

Certes. Sur le divan, on cause. On « jaspine », dit Lacan qui ne répugne pas à l'usage raffiné d'un argot choisi — dans la tradition schizophasique, mais nous n'en sommes pas encore là. Et rien d'autre ne se passe, que cette parole. Rien ? Ce n'est pas tout à fait vrai. Cette parole se dit à quelqu'un, et, même si l'auditeur doit rester muet, elle ne se dirait pas dans la solitude : elle n'existe que dans son rapport à l'auditeur. Elle compte comme parole, et quoi qu'elle dise, mensongère ou véridique, courte ou longue, n'est plus très loin. L'écoute du psychanalyste s'attache moins à un sens qu'à une forme : ou plutôt, comme le dit Lacan assez vite dans le fameux discours romain : « *C'est une ponctuation heureuse qui donne son sens au discours du sujet.* » Il s'en explique tout aussitôt. La suspension rituelle de la séance, après une durée fixe prévisible à l'avance, est « *une halte purement chronométrique* » ; au contraire, trouver chaque fois une suspension qui corresponde à un moment du discours « *a toute la valeur d'une intervention pour précipiter les moments concluants* ». Il faut donc libérer cette durée de séance d'un cadre dont rien dans la théorie n'autorise les normes, pour en faire une des techniques de la psychanalyse.

Voilà que se construit l'espace de la psychanalyse, ce laboratoire minuscule des passions géantes qui s'y dévoilent. Le psychanalyste écoute, et écoute selon des règles inversées, contraires à celles de la vie normale : si le discours est ennuyeux il ne cherchera point à le mieux comprendre en se forçant ; il ne se secouera pas pour être plus attentif, il en conclura que c'est bien l'ennui qui est le vrai symptôme, recherché par le parleur. Si le patient se tait, le psychanalyste écoutera le bavardage de ce silence, prenant « *le récit d'une histoire quotidienne pour un apologue qui à bon entendeur adresse son salut, une longue prosopopée pour une interjection directe, ou au contraire un simple lapsus pour une déclaration fort complexe, voire le soupir d'un silence pour tout le développement lyrique auquel il supplée[10]* ». Et au lieu de laisser tranquillement l'heure tourner, le patient parvenir paisiblement à la fin prévue de la séance de trois quarts d'heure, il cherche le moment où « scander », où « ponctuer », somme toute, où arrêter. Le patient ne saura donc jamais à l'avance quand prendra fin la séance : « *Nous savons comment il en calcule l'échéance pour l'articuler à ses propres délais, voire à ses échappatoires, comment il l'anticipe en la soupesant à la façon d'une arme, en la guettant comme un abri*[11] », dit encore Lacan dans le même texte. A ce jeu du chat et de la souris, l'analysant ressemble à la proie traquée et acculée à ses propres défenses ; et l'analyste, au prédateur qui fait tomber ces mêmes défenses en usant d'une des seules décisions qui lui reviennent : se lever, dire, selon les cas : « Ce sera tout pour aujourd'hui » ; ou : « Bien » ; ou : « Nous verrons cela demain », renvoyant le patient à l'inachevé d'une phrase, d'un rêve, d'un silence, et provoquant en lui le dévoilement clair qui tardait à se trouver.

En déduire que la « ponctuation » des séances tend nécessairement à la brièveté relève du procès d'intention : la suspension peut tarder, ou venir immédiatement : si l'éventail des tarifs lacaniens diffusé par la rumeur va de 50 à 1 000 F, l'éventail de la durée des séances lacaniennes va, lui, de trois secondes à une heure trois quarts[12]... C'est dire que le psychanalyste se trouve investi d'un pouvoir effectivement redoublé : il est le « *juge du prix de ce discours* », il est le maître, le décideur du temps. Mais c'est que, face à lui, l'analysant n'est pas sans répliques, qui peut décider de ne pas venir, de ne plus revenir sans qu'aucune sanction soit jamais possible, puisque le contrat, comme le reste, n'était que de parole. Que Lacan ait su trouver le moyen de la maîtrise de l'analyste, voilà qui n'a rien d'étonnant : il en trouvera aussi la détresse, et la solitude. Mais la maîtrise, perdue dans les rituels desséchés, il lui fallait la déceler au cœur de la théorie analytique. L'analyste, dit-il, « *reste avant tout le maître de la vérité*[13] ».

3. *Le Vieux de la mer*

Maître de la vérité : il faut remonter à la Grèce la plus archaïque, au plus près de ses sources mythiques, pour comprendre le poids d'une pareille maîtrise[14]. Est maître de vérité le « Vieux de la mer », le dieu-fleuve Nérée, porteur à la fois de « non-mensonge » et de « divination » : les deux faces de la vérité archaïque, celle qui n'est pas encore la non-contradiction logique à laquelle nous obéissons toujours, mais bien plutôt le « mi-dire » retrouvé par Lacan dans ses périples shamanistiques. Est maître de la vérité celui dont le sceptre est en même temps symbole d'autorité et d'oracle. Est sanctuaire de la vérité ce lieu mythique que l'on dirait rêvé pour servir de matrice archaïque au cabinet du psychanalyste : le sanctuaire de Trophonios, à Lébadée. Une tombe en forme de ruche, où le patient ne peut descendre qu'après plusieurs jours de jeûne et le sacrifice d'un bélier : avant d'entrer dans le lieu de l'oracle, où le conduisent deux jeunes enfants que l'on nomme « les Hermès », le patient devra s'arrêter devant deux sources, et boire de l'eau chaque fois. La première source est Léthé, l'eau d'oubli ; la seconde, Mnémosyné, l'eau de mémoire. Ayant bu l'oubli et la mémoire, le consultant se glisse dans la bouche d'ombre, en engageant d'abord les pieds, puis tout le reste du corps, violemment aspiré par les forces divines. Les Hermès, au bout d'un certain temps, retirent le patient, et le tiennent assis sur le trône de la Mémoire ; et là, quand il sortira de son état léthargique, il rira, comme l'enfant au miroir... Et la Vérité, Alèthéia, est toute proche de la Mémoire. Rien à voir avec ce que toute une histoire, et toutes nos cultures en ont fait : la Vérité des Maîtres archaïques est à la fois poésie, divination, justice. *Poésie*, nous le savions : Lacan s'y montra toujours sensible. *Divination*, ce n'est pas une surprise, puisque les femmes folles montraient la voie. Reste la *justice* : c'est bien elle qui s'administre dans la suspension de la séance.

Non, certes, une justice distributive, une justice calculée, non pas la justice de la cité. Mais l'administration d'une règle qui donne à chacun son dû : à chaque analysant son temps, selon son dire du jour et de l'heure. Une idée se fraye le chemin, une idée de la morale, une morale où le psychanalyste ne peut, ne doit rien faire d'autre qu'ouvrir le chemin des désirs qu'il entend à travers les mots : et, puisqu'il ne transmettra jamais aucune norme du bien et du mal, il n'incarnera la morale que par cette seule décision, *arrêter*. Le procédé n'était pas neuf : Freud, avant Lacan, en avait disposé. Lacan, en décidant que les séances pouvaient se soumettre à la ponctuation d'un discours entendu par l'analyste, ne faisait rien d'autre, apparemment, que de développer la logique du dispositif freudien. Mais il retrouvait, en même temps, les forces puissantes de l'archaïsme, et conférait à son personnage les odeurs de soufre et de marée qui bientôt firent de lui un banni. Comme le Vieux de la mer, un solitaire ; ou comme le consultant au fond de la tombe oraculaire, perdu entre mémoire et oubli, à mi-chemin de la Vérité.

Maître de vérité, mais aussi, dans un registre moins mythique et plus gagne-petit, « tabellion », « scribe », « dépositaire », et donc témoin juridique du patient qui parle. « *Nous jouons un rôle d'enregistrement, en assumant la fonction, fondamentale en tout échange symbolique, de recueillir ce que* do kamo[15], *l'homme dans son authenticité, appelle la parole qui dure.* » Le psychanalyste, donc, recueille ; il est payé pour cela. Car il faut bien que la règle régule, et que le patient sache tout à la fois : *a)* que le temps, c'est de l'argent dans le monde où il vit ; *b)* qu'il n'est pas le seul patient de son psychanalyste ; *c)* que son témoin privilégié, cet auditeur le plus souvent silencieux, ne peut passer sa vie à l'entendre. Oui, l'arrêt de la séance signifie bien la justice, mêlée à l'exercice de la mémoire. Reste qu'elle s'appuie sur bien autre chose : le mot de ponctuation n'est pas une simple métaphore.

1953 : le temps commençait où l'amour du langage et l'étude de ses formes allaient déferler dans l'histoire des idées en France. A la suite de Lacan, qui bascule dans la rhétorique par le biais des séances — et ce n'est qu'un début —, Barthes dans un long séminaire retracera l'histoire de la rhétorique[16], Althusser, pour lire Marx, se fera rhéteur également, la sémiologie s'annonçait, à la croisée des chemins des signes ; c'était un tournant idéologique, qui dura jusqu'en 1968, et dont les effets commencent à peine à paraître désuets aujourd'hui, plus de vingt ans après. Lacan quittait le terrain de la psychiatrie pour celui des Belles-Lettres, pour celui de la tradition de la grande *Retorica* médiévale, faite de Grammaire, de Dialectique et de Mathématique. La page clinique commençait à se tourner ; les femmes folles, il ne les retrouverait plus désormais que par les textes des mystiques, et il ne cite, dès lors, presque plus de « cas » qui lui appartienne. Ce mot de « ponctuation » signifiait donc la fin d'une formation : le « *bildung's roman* » de Lacan s'achevait, le temps des certitudes prophétiques commençait.

Ponctuation : « *Art de distinguer par des signes reçus les phrases entre elles, et les différents degrés de subordination qui conviennent à chacun de ses sens.* » (Littré[17].) « *Moment où la signification se constitue comme produit fini.* » (Lacan[18].) C'est presque pareil. Un art met de l'ordre dans un discours qui, sans les signes convenus de ses respirations prévues (virgule) ne serait que désordre (deux points) Lacan souligne bien que (virgule) dans la Bible ou les textes canoniques chinois (virgule) l'absence de ponctuation rend le texte illisible et fautif (point). Il eut toujours décidément l'amour des textes sacrés. Et c'est un assez joli tour de transformer la pauvre parole des patients en un texte sacré archaïque... L'exercice ne s'appliquera pas au seul patient, mais à tout discours dès qu'il émane d'un sujet. Plus de clivages entre le clinique et le littéraire, l'écrit et le balbutié.

Là où cela devient plutôt drôle, c'est quand le pékin moyen, l'analysant de base, s'appelle René Descartes. Parce qu'il eut l'imprudence de formuler — en français et en latin — un énoncé à la première personne, il passera à la moulinette de la « ponctuation » : fabuleuse explication de texte, modèle d'interprétation analytique, où l'on saisira mieux le sens véritable de la suspension de séance. Descartes, en son « Cogito », formule la coïncidence entre la pensée et l'existence sous la forme simple et célèbre : « *Je pense, donc je suis.* » Ou : « *Je pense, je suis.* » Sur ce point fragile de coexistence repose la possibilité du monde réel, et d'un Dieu qui veuille bien nous le garantir. C'est, à l'époque où le formule Descartes, ce bon cavalier français, la limite et la puissance de toute pensée. Qu'en fait Lacan ? Il suspend la séance au moment où le sieur Descartes est en train de dire : « *Je pense...* » J'exagère, mais c'est à peine. Car voici comment Lacan traduit « *Je pense, donc je suis* ». Cela devient « *Je suis celui qui pense : "Donc je suis"*[19]. »

Doubles guillemets : les uns encadrent *le sujet qui pense*, les autres encadrent *ce qu'il pense*. Entre les deux, un processus de décalage dans les niveaux d'énonciation : mais ce n'est pas là ce qui préoccupe Lacan, qui distingua bien vite, dans la linguistique, ce qui l'intéressait, et la « *linguisterie* » (comme on dit « plomberie », ou « blanchisserie », ou « pâtisserie »). Non, ce qui l'intéresse, c'est que la virgule disparaît au profit de tout autre chose. Ce n'est plus ce que voulait le sieur Descartes, c'est-à-dire la coïncidence entre la pensée et l'existence, qu'il avait eu assez de mal à trouver, le pauvre, en passant par un « forcing » mental qui éliminait tout autour de lui, sauf lui-même. Le Cogito devient une ruse, un énoncé comme les autres, issu d'une pensée, et tout à fait différent, puisque seul l'homme est capable de penser qu'il est celui qui pense : « *Donc je suis.* » Tour de passe-passe : plus besoin d'autre garantie. Et donc, plus besoin de Dieu. Descartes reviendra, à la séance suivante, pour dire d'abord... « *Donc je suis.* » Et l'analyste dans son fauteuil rira bien.

L'apologue de Descartes n'est qu'une fable commode. Le patient, lui, revient. Et l'effet de la ponctuation n'est pas seulement d'introduire de l'ordre : l'analyste n'est pas l'huissier de justice de l'Inconscient. La séance suspendue provoque certes un trouble comme si le sol soudain se dérobait sous les pieds. « *C'est ainsi que la* régression peut s'opérer, qui n'est que l'actualisation dans le discours des relations fantasmatiques restituées par un ego à chaque étape de la décomposition de sa structure[20]. » Aïe... Tout se complique. La régression, pour Freud, est certainement, avec l'appareil métapsychologique, l'un des points les plus obscurs de la doctrine, où des systèmes « psy » en forme de grilles pour cage à fauves abaissent et lèvent successivement leurs barrières pour libérer des énergies retenues prisonnières depuis un lointain passé... bref, une imagerie tout à fait complexe. C'est aussi, sous une forme devenue banale, la manière de « revenir à l'enfance » : ainsi s'exprime la métaphore, qui laisserait croire, pour un peu, qu'on y revient *vraiment*. Les analystes, sur les pas de Freud, ont bien systématisé ce truc simple : pour « repartir d'un bon pas », il faut d'abord revenir en arrière ; et pour revenir en arrière, il faut que le sujet soit insatisfait dans le moment présent. D'où une triade bien connue dans le petit vocabulaire portatif de l'apprenti psychanalyste : *frustration, agressivité, régression*. Je te frustre, tu m'agresses, tu régresses.

Mais Lacan ne l'entend pas de cette oreille. Bien sûr, la régression n'a rien de réel. Elle indique cependant quelque chose de tout à fait réel : la réapparition des modalités enfantines d'expression. Comment on demande à sa mère de quoi manger, à l'adolescence, à l'heure de l'entrée à l'école, au berceau. A chaque étape de la décomposition de sa structure : c'est donc que tombe l'armure, pièce par pièce. Le psychanalyste est donc un « décompositeur » ; ailleurs, Lacan dira cette phrase énigmatique : « *La pensée des analystes est une action qui se défait[21].* » Voici que revient le mystique : décompositeur, en détresse, en déroute, le Maître de la Vérité est infirme.

4. *Le marketing de l'analyste : un commerce inversé*

Cela ne l'empêche pas de faire de l'humour, qui lui pousse, de temps à autre, au bout des mots. Et par exemple, au bout du mot « demande ». Un jeu bien éclairant, où la régression va se montrer sous son vrai jour — mais n'anticipons pas. La « demande », en termes analytiques, signifie la même chose qu'ailleurs : chance rare... On demande ce dont on manque. La loi du commerce le plus archaïque veut que la demande entraîne l'offre correspondante : à une demande de blé correspondra une offre de blé, à une demande de pétrole, une offre de pétrole. Nul n'ira s'aviser d'offrir du blé en période d'abondance ; il repartirait avec ses sacs pleins, sous le rire apitoyé des ménagères. Nul n'irait devancer la demande : nul, excepté l'analyste, précisément. Et quelques publicitaires culottés.

Car le psychanalyste fait une offre au patient : parlez-moi, lui dit-il. C'est même ainsi que tout commence, et c'est bien la seule offre qu'il puisse jamais faire, celle de la parole. « Parlez-moi, j'écouterai. » Lorsque le patient se met à parler, se manifeste alors une demande, une demande indéterminée, radicale, insaisissable : une demande tout court, « *intransitive, elle n'emporte aucun objet* ». Une demande d'amour, d'affection... de réponse. Une demande de guérison, de révélation, de formation didactique... Une demande si large et confuse qu'elle échappe à toute assignation. C'est même ainsi que tout peut *vraiment* commencer. Et Lacan, tout fier, constate : « *J'ai réussi en somme ce que dans le champ du commerce ordinaire on voudrait pouvoir réaliser aussi aisément : avec de l'offre, j'ai créé la demande*[22]. »

Tout commence. « *Demander, le sujet n'a jamais fait que ça, il n'a pu vivre que par ça, et nous prenons la suite.* » Lorsque le sujet se trouve confronté à son propre dis-cours, sans retour de l'analyste, tout son passé s'entrou-vre, et lui revient, étape par étape. Frustré de réponse, le voici qui peu à peu se souvient, et son langage se souvient avant lui : apparaissent des tournures de phrases perdues depuis l'enfance, des colères, des tics, des rêves, des signes venus de loin, et qui disent des demandes *« pour lesquelles il y a prescription »* : finies, terminées, maman est vieille, papa est mort, et moi je crie, je pleure comme si j'avais trois ans... L'analyste encaisse. Il supporte la demande. Plus il supporte, moins il cause, plus ça régresse. Se construit, dans cet effondrement nécessaire, quelque chose comme une histoire.

Jusque-là, Lacan n'a rien fait d'autre que de trouver pour des concepts freudiens une nouvelle formulation : retour à Freud, en un autre langage. Régression, frustration, demande, histoire... Rien de neuf. Mais une langue admirable, frappante, concrète et poétique, qui formule, sans doute pour l'une des toutes premières fois au sein de la communauté analytique française, la psychanalyse en français ; qui en propose une conceptualisation française. Cela ira jusqu'à la grammaire : l'histoire qui se construit à partir de la régression — thème que Freud aborda au moins dans *Constructions en analyse* et dans *Analyse terminée, analyse interminable*[23] — n'apporte pas d'éléments nouveaux ou vrais : elle change les temps de la grammaire.

« Ce qui se réalise dans mon histoire n'est pas le passé défini de ce qui fut puisqu'il n'est plus, ni même le parfait de ce qui aura été dans ce que je suis, mais le futur antérieur de ce que j'aurai été pour ce que je suis en train de devenir[24]. »

Ce carrousel des temps suit une logique parfaite. Le *passé défini* : l'histoire morte peut être oubliée, peut être souvenir ; elle n'aura plus lieu. Le *parfait* conviendrait déjà mieux, s'il n'impliquait la mort : le parfait de ce qui aura été suppose l'arrêt au temps présent du « ce que je suis ». Reste le vrai temps de la psychanalyse, le seul valide : *le futur antérieur*. J'aurais été ceci — l'enfant muet, l'enfant colérique, l'enfant au fantasme de loup, le fils perdu, la fille abandonnée — juste le temps qu'il fallait pour le dire. Mais, la chose une fois dite, je suis déjà en train de devenir autre chose. J'aurai été ceci, mais c'est fini : ce n'est ni imparfait, ni parfait, ni passé, mais souvenir bien en place, rangé, inoffensif désormais. Travail sur la grammaire : il se situe à la jointure entre la rhétorique et l'invention.

Est-ce plus, est-ce moins que le « retour à Freud » dont Lacan fit longtemps son étendard ? Tout est dans Freud, sans aucun doute : la vérité, plus « construite » après coup que retrouvée, la mise en ordre de la mémoire comme objectif thérapeutique, et le bon oubli qui achève l'analyse, quand tout est fini : j'aurai donc été cet enfant, mais lequel ? Il s'oublie si vite que déjà le souvenir engendre un nouveau jour.

Mais rien n'y est vraiment. Car c'est bien Lacan qui, jouant sur les temps, trouve dans la grammaire la ressource d'une forme qui par fonction dans la langue va du futur au passé, et du passé au futur, indissociablement : ce futur qu'on dit antérieur, comme la vie poétique qu'imaginait Baudelaire. Un temps, le seul, véritablement dialectique : une navette logique. On n'y prête pas attention ; mais c'est vrai que la formule « j'aurai été » suppose, dans sa drôle de torsion, des germes de futur que l'on trouve rétroactivement. Une mémoire fouineuse sur son propre avenir. Une mémoire douée pour la science-fiction, qui ne se contente pas de ressasser sa chanson morte : il était une fois... Que l'on dise : il aura été une fois, et tout change. La fée, d'avance, gagne, qu'elle soit bonne ou mauvaise ; l'histoire était tracée déjà, mais elle change au moment où elle se dit. Mine de rien, le futur antérieur infléchit l'histoire : c'est le temps du miracle. Celui de la guérison. Vous voyez bien que rien, pas même la grammaire, n'échappe à la psychanalyse.

Il en sera toujours ainsi dans les textes pédagogiques de Lacan, lorsqu'il se met à parler *au nom de Lacan*. Les trouvailles fulgurantes et précises des années cliniques disparaissent au profit d'un travail sur la psychanalyse, telle qu'elle est, mais traduite, mâchée, remâchée, transformée — est-elle transformée ? Lorsque les parents loups nourrissent les louveteaux, ils vont chercher la nourriture, l'ingurgitent immédiatement, rentrent à la tanière, et régurgitent. Puis ils mangent tous ensemble le contenu régurgité ; ainsi le pélican. Il y a du pélican dans la démarche de Lacan : il régurgite une nourriture déjà digérée, une nourriture qu'il est allé prendre ailleurs — dans les forêts freudiennes, ou les maquis philosophiques, ou dans les grands déserts mathématiques, peu importe. Mais il régurgite, jusqu'au moment où, comme le pélican du poème, il n'aura plus rien trouvé, nul poisson ; ne restera plus que lui-même : le « *sujet-supposé-savoir* », la figure de l'Analyste qui permet à tous les autres d'exister. Au-delà de tout enseignement se cache le pélican mystique qui s'ouvre le foie et s'offre à ses enfants.

Ce travail n'est pas d'invention. Il n'est que de transmission. Aussi bien, à la mi-temps du *Rapport de Rome*, Lacan dessine-t-il les grands traits d'un programme d'enseignement pour une Faculté idéale de psychanalyse ; certes, la scission toute récente l'y obligeait, pour prendre rang. Mais bien plus encore, le nouveau chemin où il engageait ses pas : le chemin de l'enseignement et de la régurgitation, si géniale soit-elle. Dans *Télévision*, beaucoup plus tard, Lacan lâche une phrase qui en dit long sur la nécessité d'enseigner : « *Je n'attends rien de plus des analystes supposés, que d'être cet objet grâce à quoi ce que j'enseigne n'est pas une auto-analyse.* » Voici que, mais ne l'avait-il pas cherché ? l'offre et la demande reviennent sur le devant de la scène : s'il offre de parler — et non pas d'écouter — le professeur Lacan, en son séminaire, formule bel et bien une demande. Celle de sortir lui-même de son analyse : entre son enseignement et sa propre analyse, la frontière était-elle donc si fragile, le miroir, si nécessaire ? Son enseignement sera donc une analyse à plusieurs. Il offre de parler, les auditeurs écoutent, lui demandent de parler ; avec de l'offre, il a encore réussi son coup.

Oui, mais à la demande, le psychanalyste authentique ne répond pas. Et Lacan aura toute sa vie répondu — futur antérieur oblige — à la demande d'enseignement de ses auditeurs psychanalystes. Toujours dans *Télévision*, il inverse le sens de cette question. « *Il n'y a pas de différence entre la télévision et le public devant lequel je parle depuis longtemps, ce qu'on appelle mon séminaire. Un regard dans les deux cas : à qui je ne m'adresse dans aucun, mais au nom de quoi je parle.* » Belle définition de l'enseignement : parler au nom de ceux qui écoutent.

5. *Histoire de la belle bouchère, et du désir de l'Autre*

De cette morale à quoi il s'était tant attaché, Lacan avait déjà donné quelques prémisses. Un marché de dupes ; une demande insatisfaite, à partir d'une offre de Gascon ; cela commence bien... Pourtant c'est sur la voie d'un dépouillement moral que Lacan innovera encore. Les psychanalystes, en leurs écrits, refilent de si grandes tartines de morale implicite qu'il fallait sans doute, comme fit Lacan, développer la sienne explicitement jusqu'où il la pouvait dire. Au moins n'y trouvera-t-on pas le beurre de la bonne volonté, ni la collante confiture de la charité. Si les psychanalystes peuvent formuler une morale, celui-là, qui s'appelait Lacan, s'y sera au moins essayé. Les autres, prudents, sont tapis derrière leurs fauteuils, et n'en sortent sous aucun prétexte : le patient — le leur — n'a rien à en savoir. Sans risques. Le rhéteur prend, lui, tous les risques, et, en public, s'engage dans son discours.

Pour la découvrir, cette morale, il nous manque encore l'essentiel : le désir. Terme bandant, énigmatique. Lorsque Lacan en parle, c'est toujours en rapport avec la demande ; aussi bien fallait-il passer d'abord par le petit commerce au long cours du psychanalyste. Mais le désir, ah ! le désir, quelle histoire...

Il était une fois une belle bouchère, une bouchère amie

de Freud[25]. Pleine d'esprit, un rien enquiquineuse, la belle bouchère s'agaçait des théories de son ami docteur. « *Vous dites toujours que le rêve est un désir réalisé*, lui dit-elle un jour. *Je vais vous raconter un rêve qui est tout le contraire d'un désir réalisé. Comment accorderez-vous cela avec votre théorie ?* » Et la voilà qui lui raconte son rêve : une histoire de dîner manqué. Elle veut donner un dîner, et il ne reste plus rien qu'une tranche de saumon fumé, ce qui est peu. La bouchère veut aller faire des courses, mais c'est dimanche, tout est fermé, le téléphone est détraqué, pas moyen d'organiser un dîner. La dame, toujours dans son rêve, renonce ; vous voyez bien, peut-elle dire ensuite à Freud, que ce rêve n'a pas réalisé mon désir, au contraire ! Et elle rit, la belle bouchère...

Freud, prudent, commence par lui donner raison. Mais, patelin, il avance pas à pas : « *Mais de quel matériel provient ce rêve ? Vous savez que les motifs d'un rêve se trouvent toujours dans les faits des jours précédents.* » Sans méfiance, elle va lui répondre, la naïve...

Justement, son mari, un boucher en gros, trouve que vraiment, il grossit un peu trop, et il le lui a dit, quelques jours avant le fameux rêve. Du sport, la diète, et donc, plus de dîners... (Tiens, tiens, dit l'oreille de Freud, la petite troisième oreille cachée entre son nez et son œil droit.) Elle raconte cela, la bouchère, et puis, pendant qu'elle y est, elle y va d'une plaisanterie un peu grasse, juste pour montrer à Freud le gai caractère de son époux. Un peintre voulait faire son portrait. Et demanda au mari la permission de le peindre. Non merci, répondit le mari, vous préférerez bien à ma figure « un morceau du derrière d'une fille ». Évidemment, en allemand, c'est plus drôle, parce qu'on dit, à la place de « poser », « s'asseoir pour le peintre », et où s'assied-on, sinon sur son derrière ? Reste que le mari, et c'est là l'essentiel, est du genre égrillard. Ce que Lacan — il fallait bien qu'il intervînt enfin — traduit ainsi : « *Son boucher de mari s'y entend pour mettre à l'endroit des satisfactions dont chacun a besoin, les points sur les i, et il ne mâche pas ses mots à un peintre qui lui fait du plat, Dieu sait dans quel obscur dessein, sur sa bobine intéressante : "Des clous ! Une tranche du train de derrière d'une belle garce, voilà ce qu'il vous faut, et si c'est moi que vous attendez pour vous l'offrir, vous pouvez vous l'accrocher où je pense."*[26] » On peut dire cela comme ça aussi.

De ce mari-là, gros, sanguin et gaillard, la bouchère est fort amoureuse. Et vlan, sans prévenir, la voilà qui ajoute qu'elle a demandé à ce mari chéri de ne pas lui donner de caviar, alors qu'elle en raffole. Que vient faire là ce caviar, tout à l'heure, c'était du saumon fumé... (La petite oreille est devenue énorme.) Freude questionne ; la bouchère tortille une explication embarrassée, et finit par lâcher un autre morceau. Un tout autre morceau ! La veille du rêve, elle a rendu visite à une amie dont elle est jalouse, parce que son mari la lorgne un peu trop. Une amie très maigre, heureusement : le boucher n'aime que les femmes bien en chair. Et l'amie, qui voudrait bien grossir, lui a demandé : « *Quand nous inviterez-vous à nouveau ? On mange toujours si bien chez vous...* »

La petite oreille triomphe, elle a enfin trouvé. Le rêve devient clair : il ne fallait pas donner un dîner, surtout pas, et si l'amie avait engraissé, et si elle avait séduit le mari, et si... ? Il était bien plus simple de réaliser ce désir de manquer le dîner : et donc, Freud avait raison. Comme toujours d'ailleurs ; ce n'est pas une belle bouchère qui le fera caler... Comme par hasard, le saumon fumé est le plat de prédilection de l'amie, qui d'ailleurs, étrange coïncidence, se le refuse également, comme la bouchère fait du caviar.

Mais Freud n'est pas homme à se contenter d'un facile triomphe : le coup du désir quand même réalisé — encore plus d'être rusé —, c'est ce qu'il aura dit à sa belle amie. Et sans doute s'est-il gardé pour la bonne bouche l'explication ultime qu'il donne ensuite. Et qui porte sur le caviar, l'élément encore inexpliqué.

La belle bouchère, en effet, semble affectée d'une drôle de façon de désirer : par deux fois, elle se refuse un désir. Dans son rêve, et dans la curieuse façon qu'elle a de se refuser le caviar, qu'elle adore. En revanche, son amie qui adore le saumon, et qui se le refuse, elle, exprime un vœu simple : engraisser. La bouchère, en rêve, sanctionne son amie : pas de dîner, pas d'engraissement. Elle s'est donc identifiée à elle. Et comment ! Puisqu'elle est jalouse de cette amie dont le mari dit tant de bien, elle se met à sa place et refuse de manger. Pour satisfaire à l'une des structures psychiques les plus banales de la vie quotidienne : le triangle hystérique, le mari, la femme, l'amie. (Je n'ai pas dit l'amant : c'est encore une autre histoire.)

Cette histoire somme toute assez familiale, Freud la raconte sur trois pages de *La Science des rêves*. Lacan, on l'aura compris, la reprend comme à son ordinaire, travaillant le texte de Freud jusqu'au point où une formulation plus poussée trouvera enfin autre chose. Insistant là où Freud était resté pudique — le bon accord sexuel du boucher et de la bouchère : « *Voilà donc un homme dont une femme ne doit pas avoir à se plaindre, un caractère génital, et donc qui doit veiller comme il faut à ce que la sienne, quand il la baise, n'ait plus besoin après de se branler.* » Une femme « satisfaite », donc : eh bien, non, précisément pas. C'est bien là où gîte le lièvre. Car la bouchère ne veut pas, à ce que dit Lacan, être satisfaite sur ses seuls vrais besoins. « *Elle en veut d'autres gratuits, et pour être bien sûre qu'ils le sont, ne pas les satisfaire. C'est pourquoi à la question : qu'est-ce que la spirituelle bouchère désire ? on peut répondre : du caviar. Mais cette réponse est sans espoir parce que du caviar, c'est elle aussi qui n'en veut pas[27].* »

Voici que la belle bouchère rejoint, par des chemins détournés, ses sœurs folles, Aimée, Christine et Léa, Thérèse d'Avila, Hadewijch d'Anvers. Dans *La Science des rêves*, elle apparaît pour prouver au docteur Freud que « *tout rêve est la réalisation d'un désir* », même le plus dégoûté, le plus négatif : la défaite de la belle bouchère assure la victoire de Freud. Mais pour Lacan, c'est tout autre chose. Puisque la belle bouchère désire le caviar, dont elle ne veut pas, elle vient occuper dans la stratégie lacanienne la place du manque, et de l'identification féminine. Seule une femme pouvait permettre à Lacan d'acheminer le désir vers ce qu'il emporte de manque, de scission, de « déhiscence », comme dans l'intérieur du haricot ou de la lentille, quand ces légumes germent, et se fendent. Seule une femme pouvait désirer quelque chose dont elle ne veut pas, parce qu'elle s'identifie à une autre femme qui, elle aussi, ne veut pas de quelque chose qu'elle désire. Un, *le miroir* ; deux, *le manque*, qui existe dès lors que se forme l'image dans le miroir. Le manque, entre sujet et reflet, entre sujet et sujet, entre Christine et Léa, entre « le mari de ma sœur », et la sœur elle-même, entre la bouchère et le caviar, entre la bouchère et son amie... Un, *le miroir* ; deux, *le manque* ; trois, *le désir* : il ne « manque » plus que *l'Autre*. Nous sommes déjà loin de Freud.

Cependant, la torsion est infime. Le texte lacanien suit rigoureusement celui de Freud ; car il est vrai que cette bouchère « *souhaite depuis longtemps avoir chaque matin un sandwich au caviar* » (Freud), il est vrai aussi qu'« *elle se le refuse* » (Freud encore). Il n'est donc pas faux de glisser juste à côté, et de passer du souhait au désir et du refus au « n'en pas vouloir ». Mais le travail sur la langue ne s'arrête pas là ; il va jusqu'à l'inversion, l'inversion propre à Lacan. Voici la fin de la version lacanienne : « *Comment une autre peut-elle être aimée (n'est-ce pas assez pour que la patiente y pense, que son mari la considère ?) par un homme qui ne saurait s'en satisfaire (lui, l'homme à la tranche de postérieur) ? Voilà la question mise au point, qui est très généralement celle de l'identification mise au point, qui est très généralement celle de l'identification hystérique.* » Là s'arrêtait Freud : la bouchère se demande pourquoi son mari, tant amateur de formes rebondies, s'intéresse à son amie aux fesses plates, Lacan, un pas plus loin — un demi-siècle plus tard, continue : « *C'est cette question que devient le sujet ici même. En quoi la*

femme s'identifie à l'homme, et la tranche de saumon fumé
vient à la place du désir de l'Autre[28]. »

Cela n'a l'air de rien, n'est-ce pas ? Le désir, l'Autre, bof,
on a pris tellement l'habitude ; on s'est immunisé contre
ce vocabulaire. Mais, si on essayait de lire ces lignes avec
l'œil frais, émerveillé, de nos arrière-arrière-petits-
enfants, quand ils découvriront dans les bibliothèques les
livres oubliés du bon docteur Lacan ? Que la femme
s'identifie à une autre femme, c'est l'hystérie, on le sait
depuis Freud. Qu'elle s'identifie à l'homme, cela, c'est
Lacan, et Lacan seul. Il est vrai que la belle bouchère,
jalouse, cherche à savoir pourquoi son mari désire l'autre
femme. Il est vrai que la question : comment une autre
peut-elle être aimée ? (question essentielle pour toute
femme) devient la question de la bouchère, et que la
bouchère devient cette question. Et pour y répondre, elle
se place en position masculine, désirant l'autre femme
comme fait son mari. Le caviar et la tranche de saumon
rapprochent les deux femmes : l'une et l'autre désirent
ces amuse-gueule, l'une et l'autre s'en privent, délibérément. Dans le rêve, la tranche de saumon fumé vient à la
place de l'amie : et donc, du désir de l'amie, ce désir
insatisfait.

Ce n'est pas tout (pas toute...). En un jeu de langue et
d'esbroufe, Lacan transforme la tranche de saumon —
plutôt plate par nature — en saumon tout entier ; et le
désir de saumon, en désir de phallus. L'amie, c'est le
phallus ; désirer le saumon manquant — ou le caviar
manquant — c'est désirer le phallus, « *fût-il un phallus un
peu maigre*[29] ». Que la femme — même barrée — soit,
pour beaucoup, l'équivalent substitué du phallus, qu'elle
porte le phallus postiche, comme en témoignent les rites
archaïques, qu'il s'agisse, dans les dévoilements sacrés, de
dévoiler une femme porteuse de phallus, ou un homme
phallophore en robe de femme — dans le geste rituel de
l'*anasyrma*, la robe relevée — c'est ce que Lacan ne
manque pas une occasion de souligner. « *Il arrive que le
désir ne s'escamote pas si facilement pour être trop visible,*

planté au beau milieu de la scène sur la table des agapes comme ici, sous l'aspect d'un saumon, joli poisson par fortune, et qu'il suffit de présenter, comme il se fait au restaurant sous une toile fine, pour que la levée de ce voile s'égale à celle à quoi l'on procédait au terme des antiques mystères[30]. »

Et le tour est joué. Le saumon à l'antique fait recette. Le restaurant se transforme en temple, le poisson en postiche tabou, la mousseline culinaire en voile pompéien. Plus tard, sur la couverture de *Télévision*, la « *femme terrifiée* » de la Villa des Mystères, déployant ses voiles sombres, étendra une main aux doigts ouverts pour écarter l'horreur sans nom — l'horreur invisible, le phallus sacré. Cette femme en robe blanche, sur fond de mur rouge, c'est sans doute la plus belle image de la bouchère hystérique. La même femme, encore, en une ronde interminable. Les premières inauguraient le stade du miroir, celle-ci aboutit à l'Autre : « *Le désir est ce qui se manifeste dans l'intervalle que creuse la demande en deçà d'elle-même, pour autant que le sujet en articulant la chaîne signifiante, amène au jour le manque à être avec l'appel d'en recevoir le complément de l'Autre, si l'Autre, lieu de la parole, est aussi le lieu de ce manque[31]. »*

Demande de la bouchère : *du saumon fumé*, ou *du caviar. Désir* de la bouchère : *que manquent et le saumon fumé, et le caviar*. La demande porte sur un objet — fût-il l'analyste en personne — le désir porte sur un manque, un manque qui s'appelle, littéralement, l'Autre. C'est alors que l'on peut commencer à comprendre l'une des formulations les plus célèbres de Lacan : « *L'Inconscient, c'est le discours de l'Autre*. » Ce n'est pas plus compliqué que tout le reste. C'est juste, tout juste un peu plus sorcier.

6. *Questions sans réponses et réponses sans questions : Œdipe et Perceval*

C'est quoi, c'est qui, l'Autre ? Dans la démonstration de la belle bouchère, c'est une personne. Un être humain, doué, comme les autres, de parole, de pensée, de miroir, etc. Or, ce n'est là qu'une des figures de l'Autre : plus largement, l'Autre c'est ce qui manque. Ou plutôt, c'est un *lieu*; un endroit, où le sujet humain s'en va puiser de quoi exprimer son désir, ce fameux désir toujours troué, toujours en quête de ce qu'il n'a pas — et qui ne veut surtout pas *avoir*. Et l'expression de ce désir est à prendre « à la lettre » — vieille histoire de lettre encore, cette lettre qui renvoie à l'élémentaire du langage, le signifiant. Un saut de puce, et nous y sommes. Le saumon fumé est le *signifiant* du désir de la belle bouchère, puisé à la source vive de l'Autre : son amie maigre. Elle ne rêve pas de *son* caviar, la bouchère; elle rêve du saumon fumé de l'autre. L'Inconscient de la bouchère, c'est donc bien le discours de l'Autre, pas vrai ?

Pas tout à fait vrai. L'Autre, c'est aussi la loi; c'est encore le Père, dépositaire de la langue et de la culture, voir plus haut comment une fille peut s'en apercevoir. Et si l'Autre est, pour une femme, son amie, c'est que l'amie représente le phallus : le comble du symbole. Le comble de la Loi humaine, dans les sociétés phallocratiques. L'Autre, c'est une notion logique, celle que Platon fut bien obligé d'introduire, creusant le Même, parce qu'il était tombé dans de telles impasses métaphysiques que seul le manque lui permettait de penser le monde, et le réel[32]. Lacan n'oublia pas la leçon : il n'en oublie d'ailleurs aucune. Et c'est aussi en philosophe qu'il parle de l'Autre ; peut-être est-ce pour cette raison qu'il y met une majuscule.

Et dans le dispositif analytique ? Le psychanalyste est en position impossible. Si du moins l'on en croit cette formule péremptoire : « *Ce que je cherche dans la parole, c'est la réponse de l'autre. Ce qui me constitue comme sujet, c'est ma question*[33]. »

L'analysant, par contrat, parle. Il cherche donc réponse. L'analyste, par contrat, ne lui répondra pas sur le contenu de sa demande. Bon. Le sujet restera donc « avec sa question » comme on dit : il *restera question*. Question sans réponse, par définition. Le furet de la morale continue à passer de main en main, en silence.

Prenons un détour par les sentiers pueblos. Ou algonkins. Ou grecs. Lévi-Strauss raconte des histoires indiennes, des histoires à énigme.

La formule la plus banale de l'énigme rejoint l'énoncé de Lacan : une question sans réponse. Par exemple, les questions que la peste de sa ville pose à Œdipe, au début d'*Œdipe Roi*. Questions sans vraie réponse, puisque la seule réponse à la peste, c'est Œdipe lui-même. « *Ce que je cherche dans la parole, c'est la réponse de l'autre* », dit Lacan-Œdipe parlant au peuple de Thèbes. Et il découvrira, par le silence horrifié de ses sujets, que « *ce qui me constitue comme sujet, c'est ma question* ». Et quelle question ! Celle de l'inceste. A en perdre le souffle, et l'œil. Or, avance Lévi-Strauss qui ne s'avance jamais sans raisons, il existe quantité de cultures où énigme et inceste ont le plus étroit rapport. Œdipe rencontre l'énigme avant de commettre l'inceste. Chez les Indiens Pueblo, on rencontre des bouffons rituels qui posent des énigmes aux spectateurs — comme les clowns — et dont on dit, dans les mythes, qu'ils sont nés d'un inceste. Et chez les Algonkins, ce sont les hiboux qui posent des questions aux héros, sous peine de mort : or les hiboux, à la suite d'histoires de famille vraiment très compliquées, sont affiliés à une puissante sorcière, qui découvrira une affaire d'inceste entre son fils et sa fille. Bref, hiboux ou pas, là où il y a énigme, il y a inceste. Première version de la *question sans réponse*. Il en existe une autre, plus rare : *la réponse sans question*.

Celle-là ne se trouve que dans quelques mythes qui nous sont moins familiers, même s'ils sont, souvent, proches de nos cultures. Perceval l'idiot du village, dans le cycle du Graal, est si benêt qu'il n'ose pas poser une question que pourtant il devrait poser, en face d'un bateau magique : la réponse est là, c'est le bateau, et la question ne vient pas. L'épisode de la mort du Bouddha obéit à un schéma analogue : un disciple oublie de poser une question attendue, et voilà que la catastrophe survient. Qu'on sache répondre aux questions de l'énigme — version Œdipe — ou qu'on n'ose pas poser des questions là où les attendent les réponses — version Perceval —, survient le cataclysme. Quel est donc ce danger ?

Mais c'est toujours le même ! La mauvaise distance. La trop grande proximité, ou le trop grand éloignement, comme tout à l'heure nos Indiens Mandans qui migraient le long du fleuve. « *D'un héros qui abuse du commerce sexuel, puisqu'il le pousse jusqu'à l'inceste, on passe à un chaste qui s'en abstient ; un personnage subtil, qui connaît toutes les réponses, fait place à un innocent, qui ne sait même pas poser de questions*[34]. » Perceval est donc un Œdipe inversé. Mais tel n'est pas le but de la démonstration. Si entre chasteté et inceste existe un rapport inversé, entre « question sans réponse » et « réponse sans question » existe *aussi* un rapport inversé. « *Comme l'énigme résolue, l'inceste rapproche des termes voués à demeurer séparés : le fils s'unit à la mère, le frère à la sœur, ainsi que fait la réponse en réussissant, contre toute attente, à rejoindre sa question*[35]. »

Il est donc préférable, du côté d'Œdipe, que l'énigme ne soit pas résolue. Répondre à la question, c'est pratiquer l'inceste, et rejoindre le terme trop prochain. Et pourtant, Œdipe avait été averti ; est-ce que Tirésias ne lui avait pas conseillé de ne pas chercher à savoir ? Tirésias lui-même avait payé de sa vue le désir de trouver la réponse à une question trop intime, celle de la jouissance féminine ; et c'est en séparant deux serpents accouplés qu'il avait franchi la fragile et terrible limite qui sépare le dangereux du banal.

Il est également préférable, quand une réponse existe,

de lui formuler une question et de ne pas laisser la réponse dans son splendide isolement, comme le fait Perceval le fol. Ne pas poser la question, c'est pratiquer la solitude : danger !... A ces avertissements conjugaux et érotiques s'ajoute une morale écologique. Car l'énigme résolue et l'inceste entraînent le pourrissement et la fermentation du trop proche, et le débordement des eaux. Tandis qu'au contraire l'éloignement de la chasteté et la réponse sans question entraînent la stérilité animale et végétale. Il y a, comme toujours dans les mythes, deux dangers qui se repoussent : celui du trop et celui du « pas assez » ; celui de l'excès et celui du manque. « *Aux deux perspectives qui pourraient séduire son imagination, celles d'un été ou d'un hiver également éternels mais qui seraient, l'un dévergondé jusqu'à la corruption, l'autre pur jusqu'à la stérilité, l'homme doit se résoudre à préférer l'équilibre et la périodicité du rythme saisonnier. Dans l'ordre naturel, celui-ci répond à la même fonction que remplissent, sur le plan social, l'échange des femmes dans le mariage, l'échange des mots dans la conversation, à condition qu'on les pratique l'un et l'autre avec l'intention franche de communiquer ; c'est-à-dire sans ruse ni perversité, et surtout, sans arrière-pensée*[36]. »

On le voit, l'équilibre des mythes, c'est de ne point trop en dire : l'échange suppose, pour fonctionner, une *réserve*. Qu'on n'en dise pas trop ; qu'on garde, entre homme et femme, la même distance qu'entre Indiens de tribus voisines. Plus près, c'est une mortelle fusion, plus loin, c'est une haine indistincte. Plus près, c'est Tristan et Iseut ; plus loin, c'est Penthésilée, tuant Achille à l'aveuglette, pour mieux le dévorer ensuite. Ou Tancrède tuant Clorinde. L'échange rejoint le « mi-dire ». A l'épreuve des mythes, Lacan a appris la retenue d'un verbe qui prend toujours une allure d'énigme : question sans réponse, c'est-à-dire pas d'inceste, comme il est sage, le vieux shaman ! C'est que (cela aussi, il l'aura compris à l'aune de l'ethnologue) le langage d'une part et l'alliance d'autre part ont étrangement la même fonction. En respectant la structure de l'énigme, et en « mi-disant » la théorie, Lacan se montre plutôt bon époux et bon prince, avec la petite société qu'il a lui-même suscitée ; un bon Œdipe. Et autour de lui, existent bien les deux séductions racontées par Lévi-Strauss : le dévergondage d'un langage débridé qui ne tarit pas, et la stérilité d'une écoute qui ne sait plus répondre, à aucune question, à aucune parole. Les deux sont psychanalystes ; le premier est le bavard, le second le muet. L'un et l'autre sont hors de l'équilibre saisonnier de la psychanalyse.

Le détour rejoint la clairière, voici, à nouveau, le sentier battu. Lacan l'affirme : le sujet, dans l'analyse, est une question qui cherche, par la parole, réponse. Si les mythes ont gardé leurs secrètes puissances, ils auront déterminé dans la pensée de Lacan, qui jamais ne leur fut fermée, cette ouverture infinie. La question ne doit pas rejoindre sa réponse, le fils ne doit pas rejoindre la mère, l'analysant ne doit pas rejoindre l'analyste. Entre les deux, il faut trouver la bonne distance de la cure : ni trop près, ni trop loin. L'analyse est une question énigmatique, et qui doit en partie le rester. Une réponse à demi claire, qui doit demeurer un peu obscure. On ne se mettra pas en tête de sortir de l'impasse, et de faire « toute la clarté ». On se contentera d'explorer les jardins de l'impasse, ses nids d'oiseaux, ses plantes grimpantes ; on vivra au clair-obscur d'une conscience apaisée de savoir qu'existe une instance qui la gère, selon une histoire irréductible : l'inconscient. On fera le tour des contraintes. On dressera la géographie des limites. On saura que l'Autre, l'inconscient, la loi, le père, sont un lieu. « *Nous enseignons suivant Freud que l'Autre est le lieu de cette mémoire qu'il a découverte sous le nom d'inconscient, mémoire qu'il considère comme l'objet d'une question restée ouverte en tant qu'elle conditionne l'indestructibilité de certains désirs[37].* »

Désirs : indestructibles. Demandes : insatisfaites. Armures, château fort, terrains vagues, limites. Seule la question demeure ouverte : manque de chance, c'est précisément celle-là, la question, qui constitue le sujet, et il voudrait bien, le sujet, qu'il y soit répondu... Quant à la belle bouchère, et à sa petite amie maigrichonne, elles en seront pour leurs frais ; elles, et tous les sujets du monde. Elles continueront à se priver de caviar et de saumon fumé, tout en étant comblées sur des désirs dont elles n'ont nul besoin. Car, justement, être comblées, c'est cela dont elles ne veulent pas, elles non plus.

7. La jeune fille empaquetée

« Ce qui est ainsi donné à l'Autre de combler et qui est proprement ce qu'il n'a pas, puisqu'à lui aussi l'être manque, est ce qui s'appelle l'amour, mais c'est aussi la haine et l'ignorance. C'est aussi, passions de l'être, ce qu'évoque toute demande au-delà du besoin qui s'y articule, et c'est bien ce dont le sujet reste d'autant plus proprement privé que le besoin articulé dans la demande est satisfait[38]. »

La précision est capitale. Elle permet d'entrevoir la légitimité du refus de la belle bouchère ; elle donne raison à l'enfant qui refuse le trop de soins d'une mère trop maternelle. Si la mère satisfait « trop », l'enfant n'aura plus jamais faim ; il ne connaîtra plus jamais ce plaisir. La bouchère sans doute, flanquée de son mari baiseur, n'a jamais eu le temps d'éprouver la moindre frustration sexuelle. Et, quand la mère devance la demande de l'enfant, et le gave de « la bouillie étouffante » de l'amour, il ne s'alimentera plus : c'est bien la seule stratégie qui lui reste, la seule « question » qu'il peut formuler devant une « réponse » qui se pose un peu trop là. Or, que fait Lacan, en janvier 1980 ? La même chose que l'enfant, la même chose que la bouchère. Il se paie le luxe de pouvoir formuler une demande de disciples encore insatisfaite. Il dissout, comme l'enfant refuse le biberon.

On pourrait même dire qu'il régresse délibérément. Car lorsque la demande est trop satisfaite — aussi bien que lorsqu'elle ne l'est plus du tout — ça régresse, ferme.

L'enfant devient anorexique, se réduit à l'état de larve. Mary Barnes, l'infirmière de Kingsley Hall, devint schizophrène à quarante-deux ans : elle refusa toute nourriture, demandant qu'on la nourrît par une sonde placée dans l'estomac, et qu'on évacuât ses déchets par une sonde dans la vessie, dans le rectum. Elle voulait « descendre » jusqu'aux limites de la mort. Et l'on réussit à grand-peine à la persuader de se laisser nourrir au biberon[39]... Oui, les divorces entre besoin et demande sont infinis, ils peuvent surprendre — ils peuvent tuer. Que l'on réponde à côté, ou qu'on ne réponde pas du tout, et la régression se met en marche. Lacan, en dissolvant son école, n'échappait pas au fonctionnement qu'il avait lui-même décrit. Et, comme Mary Barnes avait réussi à susciter autour d'elle un entourage inquiet qui veillait à la nourrir comme un bébé, Lacan réussit tout de même à avoir faim encore : faim d'école, faim d'oreilles, faim d'amour.

Lorsque Freud entendit Charcot répéter à qui voulait l'entendre : « *Ça n'empêche pas d'exister* », en parlant de l'hystérie, il comprit que l'imaginaire pouvait rendre le corps malade. Et, voyant les hystériques hypnotisées libérées de leurs troubles, constatant que les paralytiques marchaient, et que les miracles abondaient, il comprit confusément la force thérapeutique du transfert. C'était le début d'une longue histoire qui a trouvé avec Lacan son Savonarole : vite condamné d'ailleurs, comme Savonarole lui-même, par les analystes et Florentins soucieux de leurs aises. Freud, donc, pour revenir à lui, écarte successivement l'hypnose, trop proche d'un « élément mystique » ; les impositions de mains et autres pressions sur le crâne, encore trop proches des manipulations sorcières ; et le face à face, trop troublant. Reste le dispositif nu, « *la position du patient, couché sur un lit de repos, derrière lequel je m'assis, ce qui me permettait de voir sans être vu moi-même*[40] ». Plus de jeux de mains, plus de boules de voyance, plus de regard : une simple écoute.

On pouvait croire que tout était réglé. Mais les mêmes

dangers que Freud avait sentis, et qui poussaient dans les bras du bon docteur les hystériques hypnotisées lorsqu'elles se réveillaient, se reproduisent, en position immobile. Certes, il n'y aura plus de mouvements de passion (voire...). Certes, le transfert se déploie entre deux immobiles, l'un, muet sur son fauteuil, l'autre, causant sur son divan. Le problème s'est déplacé ; mais il demeure. Lorsque Lacan commence de s'en mêler, on en est en France à *« l'oblativité »*. L'analyste, pour mieux soigner son patient, doit s'offrir en pâture aux fantasmes, répondre aux demandes, mais pas jusqu'au bout. C'est à peu près à la même époque que Hartmann, Kris et Loewenstein inventèrent la notion de *« moi autonome »*, une sorte d'instance qui pourrait échapper à l'inconscient, et qui, au terme de la cure, parviendrait, on ne sait par quel miracle, à l'autonomie. Sur ce thème, les psychanalystes américains brodèrent. Bientôt, pour renforcer le « moi autonome », on suggéra que le patient s'identifie au « moi » de son psychanalyste : un moi « fort », par excellence. L'analyste avait donc pour tâche de se fabriquer un moi musclé ; et ce Superman freudien se reproduisait à l'infini, de « moi fort » en « moi fort », en petits rejetons réputés « autonomes »... La psychanalyse n'était pas loin de devenir totalitaire. On était loin de Freud, et c'était toujours la pratique de la cure, encore elle, qui faisait dériver l'analyse vers une forme de magie blanche.

Répondre à la demande d'amour du patient, lui susciter un moi costaud, par identification... Voilà qui sent l'Œdipe à plein nez. Une bonne odeur de chou, de potée familiale et d'inceste, alors que ces images-là, justement, il faudrait les mettre à distance. Mais où sont les limites du transfert ?

Dans les régions celtiques, les fiancés peuvent coucher dans le même lit, avant le mariage ; et l'hôte qu'on héberge pour une nuit aura droit au même traitement. Il se couchera aux côtés de la fille de la maison, qu'on aura empaquetée dans un drap bien serré. La fille, momie vivante, ne bronche pas davantage que l'homme à côté d'elle. C'est le « bundling », l'empaquettement. Comme de juste, cette coutume émigra dans certaines sectes bibliques aux États-Unis. Aux États-Unis justement. L'analyste est comme la jeune fille en paquet ; serré dans un drap moral, « couchant » — platoniquement — tout près de son patient, le laissant brûler chastement d'un désir inassouvi. Une proximité érotique et irritante, exténuante. Le « bundling » est un jeu passager qui, sous prétexte d'éloignement, provoque et frôle jusqu'à l'exaspération. Ainsi en va-t-il des analystes charitables, enserrés dans leurs bandelettes d'amour et de défenses, *trop près*. Comme Tristan et Iseut, dont le mythe, dit Lacan, « *parrainerait désormais le psychanalyste dans sa quête de l'âme promise à des épousailles mystifiantes par la voie de l'exténuation de ses fantasmes instinctuels*[41] ». Lacan mène sur ce point le même combat que Freud : un combat profondément laïque. Il ne faut décidément pas se tromper ; l'athéisme peut se défier du religieux, le battre en brèche par tous les moyens, et accéder au mysticisme. C'est si peu une contradiction que Rousseau écrivit la *Profession de foi du vicaire savoyard*, Spinoza l'*Éthique* et le *Traité théologico-politique* ; et les Iraniens cultivés d'aujourd'hui diront volontiers le scandale que représente, pour la tradition du mysticisme shiite, l'apparition d'une hiérarchie cléricale qui s'attribue des pouvoirs temporels[42]. La psychanalyse est sans cesse menacée sur sa droite par la transformation de sa théorie en initiation spiritualiste. Freud ne voulait pas des tours de magie de Jung ; Lacan refuse les tours de charité du « bundling » analytique.

L'analyste ne sera plus la jeune fille empaquetée. Pour négocier au mieux l'efficacité du transfert, et laisser l'histoire d'amour entre patient et analyste à son libre cours, il ne répondra pas, à aucune demande. Cela signifie qu'il supporte l'angoisse, l'amour, la colère, sans jamais s'y comporter en *partenaire* ; cela veut dire qu'il résiste aux séductions des fredaines, des drames, des ruptures, comme s'il avait cent fois vécu, cent vies de malheur, dans cent familles différentes ; et il peut arriver, voyez-vous, qu'il s'en passe aussi de belles dans la vie du psychanalyste, qui, somme toute, est un homme, ou une femme, presque comme les autres... Mais, en ne répondant pas à la demande, et en laissant le champ libre à l'expression de tous les désirs, sans jamais les emplir, sans boucher les trous, le psychanalyste rêvé par Jacques Lacan est bien plus vulnérable qu'auparavant. L'analyste empaqueté, certes, se ligote lui-même ; mais au moins, il se protège. L'analyste lacanien est nu comme un ver, et sans protection. Il obéit à un principe absolu, à la fois pratique et éthique : le « non-agir ». Telle est du moins la théorie que l'on peut lire dans les *Écrits*. Aux analystes de prendre le relais pour parler de leur expérience pratique. Sans oublier leurs faux pas.

8. *La psychanalyse, une prophylaxie de la dépendance*

Toujours l'éthique, en ombre portée, glissant entre les lignes ses exigences insatisfaites. Lacan, pendant une année, parla de l'éthique de la psychanalyse : ce fut l'un de ses plus beaux séminaires, et pourtant, bien que le texte ait été retravaillé, et fût prêt pour la publication, il s'y opposa constamment. Toujours l'éthique, en projet ; ne ressemblant en rien aux élucubrations altruistes de cinquante ans d'histoire analytique, l'éthique de Lacan formule des lignes de fuite plutôt que des prescriptions, des interdits plutôt que des lois positives. Mais le « *non-agir* » n'est pas précisément un interdit. Il est un principe de neutralité. *Ne uter :* ni l'un ni l'autre. Une bonne définition du *neutre*, si souvent mal entendu, convient au véritable analyste : non comme médiation diplomatique à la suisse, mais comme bonne distance entre une passivité offerte et une activité d'intervention. Est « non agissant » celui qui a la capacité d'agir, mais ne l'exerce pas. Celui qui peut montrer l'action dans le simple fait de la réserver ; celui qui, à l'inverse du shaman, laisse agir le patient, sans entraves. Il s'agit d'un pouvoir.

« *Nous voici donc au principe malin de ce pouvoir toujours ouvert à une direction aveugle. C'est le pouvoir de faire le bien, aucun pouvoir n'a d'autre fin, et c'est pourquoi le pouvoir n'a pas de fin*[43]. » Allons, c'est impossible, le « pouvoir de faire le bien », voilà qui serait contradictoire avec les colères de Lacan contre la charité analytique « made in U.S.A. ». Il corrige aussitôt. « *Mais ici il s'agit d'autre chose, il s'agit de la vérité, de la seule, de la vérité sur les effets de la vérité. Dès qu'Œdipe s'est engagé dans cette voie, il a déjà renoncé au pouvoir*[44]. » Ainsi, c'est le pouvoir qui est « malin », aveugle, et dangereux. Et le non-agir de l'analyste ressemble fort à une renonciation définitive à tout pouvoir. Freud avait découvert un pouvoir, un pouvoir effrayant, et qui l'effrayait, bel et bien : au point d'élaborer un dispositif qui neutralise les dangers du transfert hypnotique, et, plus généralement, de l'amour suggéré par le shaman. Grâce à ce pouvoir contrôlé, il put guérir. Et la psychanalyse se fonde sur l'exercice réglé, mesuré, de l'efficacité symbolique, et des pouvoirs de la parole sur le corps. Y renoncer, c'est franchir un pas décisif dans l'histoire de l'analyse. C'est ce que Lacan tente de faire en substituant la *vérité* au *pouvoir*.

Le projet était cohérent, quels que soient les errements auxquels il a pu donner lieu, tant dans la théorie vieillie d'un Lacan trop magistral, que dans la pratique folle de certains de ses disciples les plus dogmatiques. Le projet fut cohérent, et la vérité, fidèle à Freud, qui, s'il affrontait les dangers d'un pouvoir, était épris d'abord de la même passion. Le lien est d'évidence : « *Ça parle, là où ça souffre.* » La vérité, c'est l'expression d'une souffrance. Freud de son côté disait que « *l'hystérique souffre de réminiscences* ». Lacan généralise cet énoncé : toute souffrance est signe de réminiscence, la petite souffrance de la bouchère jalouse, la grande souffrance du président Schreber dans son délire, celle d'Œdipe en quête des causes de la peste. Si, à travers le « non-agir » de l'analyste, le moi se désagrège, et si les armures tombent pour laisser la place aux langages de l'enfance et à leurs désirs perdus, la question du patient demeurera toujours sans réponse, abandonnée à son statut d'énigme. Mais au moins sera-t-elle formulée, cette question, dans ce que Lacan nomme « *la parole pleine* » : une parole qui s'assume au mieux de ses possibles. Vers la fin de l'un de ses plus beaux textes, *La Direction de la cure et les principes de son pouvoir*, il dresse les règles du contrat analytique entre le thérapeute et son patient. « *1) La parole y a tous les pouvoirs, les pouvoirs spéciaux de la cure. 2) On est bien loin par la règle de diriger le sujet vers la parole pleine, ni vers le discours cohérent, mais on le laisse libre de s'y essayer. 3) Cette liberté est ce qu'il tolère le plus mal. 4) La demande est proprement ce qui est mis entre parenthèses dans l'analyse, étant exclu que l'analyste en satisfasse aucune. 5) Aucun obstacle n'étant mis à l'aveu du désir, c'est vers là que le sujet est dirigé et même canalisé. 6) La résistance à cet aveu, en dernière analyse, ne peut tenir ici à rien qu'à l'incompatibilité du désir avec la parole*[45]. »

Tout est donc clair, sauf l'énigme finale : si l'objectif de la cure, c'est l'aveu du désir, bien au-delà de la guérison des symptômes, Lacan assigne délibérément un objectif impossible. Le désir ne saura jamais se dire en parole ; creusé « dans l'intervalle » entre la demande et le sujet, il est une interrogation qui revient, encore, au mysticisme latent que nourrit par surcroît l'inspiration hégélienne. Tout va bien dans le contrat d'analyse tel que le décrit Lacan, sauf qu'on y dirige le sujet vers une structure en impasse. Une structure amoureuse, à dire vrai : puisque « *l'amour, c'est donner ce qu'on n'a pas* ». De cette position mystique, héritée des femmes qui prennent à un Dieu absent ce qu'il n'a pas — un corps pourvu d'un sexe qui les comble —, Lacan tire un enseignement analytique ; l'analyste, aussi, sera celui qui donne ce qu'il n'a pas, et qui refuse de donner ce qu'il a. Le psychanalyste, un être d'amour ; la psychanalyse, une discipline amoureuse ;

une théorie érotique, un métier de pure jouissance.

L'analyste ne donnera donc pas la parole, qu'il a. *« Or l'analyste se distingue en ce qu'il fait, d'une fonction qui est commune à tous les hommes, un usage qui n'est pas à la portée de tout le monde, quand il* porte *la parole*[46]. *»* Voici l'amour, mais à l'envers. Voici « la règle fondamentale », telle que l'avait énoncée Freud, avec fermeté, pour gérer au mieux le commencement de la cure. Le patient doit dire « tout ce qui lui passe par la tête ». Profonde violation des conventions les plus élémentaires, dans quelque culture que ce soit : imaginez un peu ce que serait la communauté humaine si l'on se mettait à associer tout haut ? Ce serait de la politesse-fiction. Acculé à l'impolitesse, le patient ne doit obéir qu'à cette règle. C'est tout. Quant à l'analyste – mais cette règle-ci n'a pas été formulée par Freud —, il ne fait pas non plus un usage très commun de la parole, puisqu'il se tait au lieu de répondre, ce qui n'est guère poli non plus. « Porter la parole » veut donc dire exactement le contraire de ce qu'on imagine : ce n'est pas en faire l'usage d'un tribun romain, c'est accueillir le « jaspinage » de l'autre. Porter la parole, c'est pouvoir en faire un usage *privatif* : le *« non-parler »* du psychanalyste, comme le *« non-agir »*, n'est pas un mutisme délibéré. D'ailleurs, pour mieux en faire la preuve, de temps à autre, il jaspine, lui aussi.

Non-parler. Non-agir. Cet impouvoir de principe fait signe à d'autres formules en creux, marques reconnaissables de la pensée de Lacan. *Pas toute, pas de rapport sexuel...* Pas. Comme le Pseudo-Denys l'Aréopagite avait pu formuler une théologie négative, Lacan, lui, formule une psychanalyse négative. Pour parler de « *la Cause universelle* », le Pseudo-Denys enchaîne les définitions négatives : elle n'est ni figure, ni forme, ni qualité, ni quantité, ni masse... elle ne possède ni mutation, ni destruction, ni partage, ni privation, ni écoulement... Et il lui faut faire la liste interminable, sur plusieurs chapitres, des « ni » qui, littéralement, disqualifient les définitions

144

de la cause universelle (Dieu[47]). Pour parler de la cause analytique, Lacan fait de même. Par exemple, il ne dira pas de l'analyse qu'elle cherche l'indépendance du sujet, non. Il dira que c'est « *une prophylaxie de la dépendance* ». Une hygiène de l'asservissement. C'est encore le même tour d'esprit qui conduisait au « *non-agir* » : on préserve de la dépendance, on ne parle pas d'indépendance. Tout le positif est sujet à soupçon : ce serait une vérité qui, parce qu'elle aurait l'air d'accéder à un « plus », ne serait plus du « mi-dire »... et donc deviendrait fausse. Aussi bien l'ultime mot sera-t-il tout au plus dans cette « *prophylaxie* » d'un genre particulier, qui permet de savoir où sont ses microbes psychiques, ses contages affectifs, ses risques d'épidémies amoureuses : encore, et toujours, l'exploration des contraintes, sans capacité de les transformer autrement que par un constat. « Prophylactique. » On ne saurait plus clairement désigner l'amour comme vérole.

Ce qui, au terme de la cure, aura malgré tout disparu, c'est l'armure du Moi, le château fort, la cage de verre des illusions narcissiques. Le Moi, voilà l'ennemi, qu'au contraire la psychanalyse à l'américaine voulait renforcer, et protéger. Lacan l'assaille de toutes parts : par le silence, par la suspension des séances, par tout ce qui, violant les conventions de parole entre les hommes, peut défaire les constructions défensives de la personnalité. Il existe une célèbre phrase de Freud : « *Wo es war, soll ich werden*[48]. » Il la faut bien d'abord citer en allemand, puisque tout le jeu sera de la traduire. Pour la tradition antérieure et Marie Bonaparte, la traduction sera : « *Le moi doit déloger le ça.* » Lacan, lui, songe que Freud n'a pas écrit « das Ich », mais simplement « ich ». Il ne s'agit donc pas du « Moi ». Il n'a pas non plus écrit « das Es », et il ne s'agit donc pas du « Ça ». Lacan traduira donc, au plus près : « *Là où c'était, là dois-je advenir.* » Autre version : « *Là où s'était, c'est mon devoir que je vienne à être*[49] » *:* mais déjà le commentaire trafique la phrase de Freud.

Une chose en ressort clairement : le mot *Moi* a disparu de la traduction, élidé. Et la loi fondamentale de la morale de la psychanalyse — de Freud à Lacan — est de trouver le passage entre l'inconscient le plus refoulé *(« Là où c'était)* et un sujet hors de toute dépendance défensive. *« Je, dois-je advenir. »*

Un tel sujet existe-t-il ? Il frôle la liberté, la vieille liberté dont l'idéal gère les consciences, depuis les Lumières. Mais Lacan ne le dit pas, comme s'il s'y refusait. Il rappelle trop souvent les trois gageures impossibles dont Freud parlait comme d'un défi à la psychanalyse : éduquer, gouverner... et psychanalyser. C'est assez dire que la psychanalyse rêve d'éduquer, et rêve de gouverner ; la cure se heurte à ces tentations de liberté dirigée, contre lesquelles le « non-agir » est le mot d'ordre convenable.

Un tel sujet existe-t-il ? Lacan, parfois, parlera davantage. En phrases courtes, allusives, tombales. Parlant d'une *« éthique de célibataire, pour tout dire, celle qu'un Montherlant plus près de nous a incarnée*[50] *»* : l'éthique du non-rapport à l'Autre, prise au pied de la lettre. Parlant des dangers de l'espoir, bien avant que soit devenue banale la dénonciation des maîtres penseurs du salut : *« Sachez seulement que j'ai vu plusieurs fois l'espérance, ce qu'on appelle : les lendemains qui chantent, mener les gens que j'estimais... au suicide tout simplement*[51]. *»* Parlant en homme qui en a beaucoup vu, des suicides. Et qui peut tout aussi bien affirmer que *« le suicide est le seul acte qui puisse réussir sans ratage »*, et dire à son interlocuteur une phrase à prendre au mot : *« Espérez ce qu'il vous plaira*[52]. *»* Entendez cela selon votre désir.

Ou encore, il dit en passant : *« Une éthique s'annonce, convertie au silence, par l'avenue non de l'effroi mais du désir. »*

Et c'est pour parler de ce silence qu'il a commencé à enseigner. Entrant dans la contradiction dont jamais il n'aura pu sortir.

CHAPITRE IV

LA MARELLE ET LES QUATRE COINS

Le « structuralisme » ; la passion du jeu et des graphes ; du Phallus, et de ses équations ; Lacan ravi.

1. *Intermède politique*

1964 : Lacan quitte Sainte-Anne, lieu traditionnel de son séminaire, et prend ses quartiers d'hiver à l'École normale supérieure. Exclu par une institution, il se fait recevoir par une autre. La solitude reste la même, mais le corps social l'accueille dans une autre de ses structures. Et même, dans l'une des plus prestigieuses : l'École normale, traditionnelle pépinière de gloires, l'un des hauts lieux de la sélection française. Il enseigne dans la salle Dussane, réservée au théâtre et aux conférences, avec rideaux de velours rouge et accès direct sur la rue. L'y voici donc, avec le titre ronflant de *« chargé de conférences de l'École pratique des hautes études »* : l'ami Lévi-Strauss, d'ailleurs présent ce jour-là, s'est occupé du

147

« réfugié ». La séance du premier séminaire à l'École s'ouvre par des politesses exquises, envers Fernand Braudel, président de la très illustre VIᵉ section des Hautes Études, qui avait donné son feu vert, envers Robert Flacelière, directeur de la rue d'Ulm. Le même, plus tard, l'en chassa, pour de mystérieuses raisons ; Lacan émigra dans un amphithéâtre de juristes à Paris I[1]. En 1969, il sera chargé, au moment de la réforme Edgar Faure, de la direction d'un département de psychanalyse au Centre expérimental de Vincennes. Le monde de la psychanalyse l'avait évacué comme une paramécie un corps étranger ; le monde de l'Université lui faisait bon accueil. Mais il lui fut toujours une sorte d'antichambre : la rupture avait déterminé un autre langage, et même, une autre orientation théorique.

Vers la même époque, Louis Althusser, depuis longtemps « caïman » à l'École normale (ce vocabulaire de crocodile désigne le « répétiteur » chargé d'instruire les futurs agrégés en philosophie), commença à faire parler de lui en « relisant » Marx comme Lacan avait « relu » Freud[2]. L'ère était celle des « retours » ; celle, aussi, d'une réflexion méthodologique sur la vérité. Et la phrase de Lénine, « *la théorie de Marx est toute-puissante parce qu'elle est vraie* », hantait les cerveaux d'une génération de jeunes normaliens philosophes, qui firent, dès cette époque, une haie d'honneur pour Jacques Lacan ; qui lui inventèrent une revue, les *Cahiers pour l'Analyse*, et lui constituèrent un nouveau public, au nom duquel il se mit à parler. Depuis 1960, pendant les querelles intestines, Lacan s'était transformé. Il s'était forgé son propre code rhétorique, il avait inventé ses procédures de transmission ; il se mettait à parler, lui, le psychiatre, de « *la carte forcée de la clinique* ». Il se servait de textes, d'instruments logiques, des travaux de Lévi-Strauss ; il entrait de plain-pied dans le style de travail du « structuralisme », dont la mode déferlait sur la France, et dont le sérieux, qui se résumait à fort peu de choses, mais essentielles, n'avait pas échappé à Lacan. Le sérieux du structuralisme, c'était, je le tiens de Claude Lévi-Strauss lui-même, « *Dumézil, Benveniste et moi* ».

Trois authentiques structuralistes, attachés à dégager des formes complexes dans des matériaux divers ; la mythologie indo-européenne, pour Dumézil, la linguistique, pour Benveniste, et, pour Lévi-Strauss, quelques niveaux précis de la société, les structures de la parenté, celles de l'espace et de l'organisation sociale, et celles de la mythologie de l'Amérique indienne, sur laquelle, dans ces années-là, il se mit à travailler.

Lacan, comme Foucault et Barthes, fut bien vite appelé « structuraliste », ce qui, dans son cas, ne correspondait pas à grand-chose. Tout au plus pouvait-on y lire le symptôme d'une crainte respectueuse devant ce formidable essor de la pensée, qui marqua la France pendant vingt ans, jusqu'à ce que Mai 68 balaie cette mode au profit d'un retour de l'histoire, de l'événement, de l'aléatoire. On pouvait sans doute aussi y voir le reflet d'une constellation de thèmes communs à Lacan, Foucault, et Lévi-Strauss : on appela cette constellation « *la mort de l'humanisme* ». Ce fut l'enjeu de querelles interminables entre les marxistes bon teint et ces hérétiques qui réfutaient les analyses mécanistes de l'histoire (classes dominantes, idéologie dominante), au profit de structures de plus longue durée, permanentes à travers les changements sociaux, et demeurées à peu près invisibles dans la façon « squelettique » — l'épithète est de Sartre — dont, jusque-là, le marxisme avait regardé les sociétés. Sartre était à peu près oublié ; la *Critique de la raison dialectique* était quasiment passée sous silence, malgré une orientation complexe que n'auraient pas pu démentir ni les historiens, ni les sociologues. Sartre, dans l'ombre, commençait à travailler à son chef-d'œuvre, *L'Idiot de la famille*, qui, à travers l'histoire d'un homme, Flaubert, et d'une œuvre, *Madame Bovary*, réglait, en fait, les questions qui s'agitaient à l'époque. En articulant méticuleusement l'histoire d'une époque, celle d'une famille, celle d'une névrose, et celle d'une classe sociale, à propos de Flaubert, Sartre réfutait, sans même que ce soit vraiment son objectif, les vaines querelles de ce moment. Mais on l'avait oublié. En Mai 68, il réapparut pour ne plus disparaître. C'est dire l'extraordinaire divorce qui pouvait alors exister entre les textes, les penseurs, et l'idéologie mondaine qui les qualifiait superficiellement.

Pendant ce temps, on bavardait : autour de « *la mort du sujet* », dont le thème était brillamment lancé par un Foucault dont la plume élégante savait suppléer aux manques théoriques[3] ; sur la fin de l'histoire, beau sujet de dissertation, qu'avait amorcé Lévi-Strauss dans une polémique avec Sartre à la fin de *La Pensée sauvage* ; sur les effets de la mode, qui exaspérait toujours les mêmes, les mandarins de l'ombre, les gagne-petit de la pensée, ceux dont justement on ne parlait pas, et qui ne pardonnaient pas le succès. Sur ce point au moins, ils n'ont pas changé. Aujourd'hui, leurs têtes de Turcs ne sont plus les mêmes, mais ce sont bien toujours eux qui, haineusement, pourchassent le succès, quel qu'il soit, pourvu qu'il soit celui d'un de leurs contemporains. Écumes de mer rejetées sur la grève des plages, déchets de la pensée, tristes effets d'une Université qui commençait déjà de se montrer sans défense, et sans gloire...

Parurent des caricatures, où l'on voyait, sous de mythiques cocotiers, tous ces braves gens, Lacan, Foucault, Barthes, Lévi-Strauss, en pagne de plumes, deviser gaiement, sans doute autour d'une marmite, peut-être cannibales, sait-on, puisque tous ces gens-là « étaient contre l'homme[4] »... C'était un signe. Le signe de la rumeur, flatteuse et détestable, qui portait sur la place publique des théories peu comprises, peu lues, où l'on n'entendait que le mot : « structuralisme ». Le signe, aussi, d'une époque, celle de la guerre du Vietnam, où les effets de l'impérialisme américain se faisaient sentir à l'évidence. Sur ce point, il était juste de placer Lacan dans ce mouvement de pensée : car ce n'était pas de la veille qu'il avait dénoncé les dangers de l'humanisme américain, qui, sous couvert d'aide à l'humanité, qu'elle soit psychologique, psychanalytique ou militaire, mettait en place des moyens d'asservissement, pour les peuples ou pour les individus. La réfutation de l'humanisme des temps passés, qui, avec de bonnes intentions et de grandes paroles, fit des ravages colonialistes, avait un sens politique ; comme eut plus tard un sens politique la réapparition de philosophies qui, toutes, plus ou moins maladroitement, tournaient autour des droits de l'homme. C'est à peu près vers cette époque que Régis Debray, brillant normalien philosophe, quitta l'institution pour suivre Che Guevara, nous laissant à nos chères études. On sait ce qu'il en advint ; retour historique des choses.

L'histoire est rusée, on le sait. L'une de ses ruses les plus malignes fut d'affecter à Lacan et à Althusser des rejetons dont l'itinéraire, souvent, aboutit à des reniements. Les petits normaliens philosophes, qui suivaient en même temps et dans le même enthousiasme l'enseignement du marxiste « new wave » et celui du psychanalyste à la mode, devinrent, on le sait, d'ardents militants maoïstes vers la fin du mouvement de 68. Ce n'était pas illogique. Mais il est sûr que les doubles leçons avaient été entendues avec de drôles d'oreilles. D'Althusser, ou de ses inconscients, les jeunes philosophes entendirent la nécessité de fonder un mouvement communiste qui échapperait au modèle soviétique, et, partant, au modèle français en vigueur à l'époque — malgré la présence d'un secrétaire général, Waldeck-Rochet, qui avait une autre allure, et de comportement et de pensée, que les dirigeants actuels du Parti communiste français. La Chine représentait assez bien ce nouveau modèle ; d'autant qu'on la connaissait mal, et qu'on y pouvait projeter, exotiquement, tous les fantasmes théoriques que l'on voulait. Des leçons de Lacan, les enfants d'Althusser entendirent le déterminisme implacable de l'inconscient, et les illusions de la liberté ; c'était croire qu'on pouvait remplacer l'imaginaire par une pédagogie appropriée, et par une « révolution culturelle » dont le dogmatisme enflammait les belles âmes, précisément parce qu'il s'agissait de tordre le cou à la belle conscience. Mais, sur ce point encore, l'inconscient avait bien travaillé : car Lacan cherchait bel et bien une pédagogie, et une morale qui en découlât. On ne peut donc guère s'étonner qu'il ait engendré tant de petits maoïstes acharnés à se couper de leurs racines, qu'elles fussent sociales, affectives, culturelles. Les maoïstes avaient « interprété » Lacan et Althusser ; ils furent de vrais analystes.

Quelques-uns d'entre eux, à des titres divers, devinrent des « nouveaux philosophes ». Après une exploration plutôt consciencieuse, ils revenaient des terres ouvrières et retrouvaient l'univers des belles âmes conscientes d'elles-mêmes, celui de la bourgeoisie, leur bourgeoisie d'origine. Certains d'entre eux commencèrent à se battre contre les privations de liberté aux quatre coins du monde, en privilégiant quand même le coin de l'Union soviétique dans leur combat ; ils commencèrent aussi, et de plus en plus, à ressortir le vieux terme usagé d'« antifascisme », qui un peu partout commençait à redevenir d'actualité. Comme s'ils s'étaient souvenus d'une étrange réplique de Lacan, qui, dans *Télévision*, à Jacques-Alain Miller qui lui demandait *« d'où lui venait l'assurance de prophétiser la montée du racisme, et pourquoi diable le dire ? »* répondit : *« Parce que cela ne me paraît pas drôle, et que, pourtant, c'est vrai. »* C'était en 1973 ; il avait eu raison. Les autres explorateurs déçus devinrent d'ardents propagateurs de la foi, anges politiques d'abord, exégètes consciencieux de tous les spiritualismes, ensuite. Entretemps, l'Alliance atlantique avait repris du poil de la bête ; le gaullisme s'effondrait, et, avec lui, l'indépendance nationale, version gaullienne. La Chine, comme le reste du monde, avait fourni son compte de déceptions ; l'heure était venue de chanter les désillusions. Pour cela, les intellectuels ne sont jamais de reste.

Lacan ne s'était jamais mêlé de politique, au sens traditionnel du terme. En 1968, on le lui reprocha.

Pourtant, il fit toujours les gestes nécessaires, interrompant son séminaire dès qu'il y avait une grève, ne reculant pas devant les confrontations. Il prit, chaque fois, des positions théoriques qui, souvent, anticipèrent des événements : sur le racisme, contre Noam Chomsky, dès 1975, et pour des raisons qui touchaient à l'existence même de l'inconscient. *L'Impromptu de Vincennes*[5], compte rendu sténographié (et non revu par lui) d'une séance mémorable entre les étudiants de Vincennes et Lacan, en dit aussi long que les malentendus sur la mode structuraliste. Lacan plongeait dans un monde dont il ignorait tout : il était, déjà, un vieil homme... Vincennes, c'était « *une expérience qui me paraît assez exemplaire* », disait-il ; une expérience du côté de l'élaboration critique de nouveaux savoirs. Or Vincennes était devenu aussi tout autre chose : le savoir, bernique, il s'agissait bien de cela ! Il s'agissait, on ne le lui envoya pas dire deux fois, « *d'aller chercher dehors les moyens de foutre l'Université en l'air* », ou « *de trouver un débouché à notre volonté de changer la société et entre autres de détruire l'Université* ». A quoi Lacan, bonne poire, répond que « *faire une Université critique, en somme, c'est ce qui se passe ici* ». Mais il s'énerve, aussi. Le Dehors de quoi ? « *Quand vous sortez d'ici, vous devenez aphasiques...* » Aphasique, il y en a un — ou plus — qui ne sait pas ce que cela veut dire. Lacan baisse les bras devant tant d'inculture. Lui qui a passé sa vie à défendre la part « lettrée » de la psychanalyse, le voici confronté à la négation même de toute culture, à une revendication absolue de non-culture. Quoi qu'il dise, il se fait jeter.

Mais, si la part politique de cette rencontre lui échappe à peu près totalement, il ne se trompe pas sur l'essentiel de la contestation. Il en dira deux choses qui se vérifièrent depuis. La première, c'est que, s'il est « antiprogressiste », la psychanalyse telle qu'il la rêve est, elle, progressiste, qui permet d'analyser « *ce contre quoi vous vous révoltez* », leur dit-il : et de balancer aux étudiants qu'ils jouent, à Vincennes, « *la fonction des ilotes de ce régime* ».

« *Le régime vous montre. Il dit : "Regardez-les jouir..."* »
Quand le régime en eut assez de voir jouir entre eux les
étudiants de Vincennes, il leur dépêcha un phallus féminin du genre adjudant, qui eut tôt fait de les déménager à
Saint-Denis. La seconde chose touche à l'essence de toute
contestation, et pourrait donc s'appliquer aussi aux propres contestataires de l'École freudienne : « *La contestation me fait penser à quelque chose qui a été inventé un
jour, si j'ai bonne mémoire, par mon bon et défunt ami
Marcel Duchamp : "Le célibataire fait son chocolat lui-
même." Prenez garde que le contestataire ne se fasse pas
chocolat lui-même.* » Sur ce point aussi, il avait raison :
parmi les contestataires, combien sont aujourd'hui de
bons petits cadres supérieurs avec attaché-case, combien
auront lu *Actuel*, parce que c'est un magazine « in », avec
un parfum de nostalgie... Il reste que Lacan, avec son
« bon ami Marcel Duchamp » (« Qui c'est celui-là ? » dira
l'aphasique de service), n'aura rien compris à Mai 68, ni,
plus généralement, aux changements sociaux qui balayè-
rent son époque. Ses vieux amis comptèrent pour lui
plus que les engagements politiques : il fit de Salvador
Dali son compagnon de repas pendant un séjour à New
York, pendant que le peintre aux belles moustaches se
disait le dernier défenseur du franquisme. Sa jeunesse
passée restait le seul point de référence : cela, et la
mythologie de la création.

2. *L'homme de la vérité*

1965 : Lacan, à Normale, un an plus tard, parle de la
science : « La science et la vérité[6]. » Puisque le psychanalyste doit se tenir dans l'impouvoir, et dans le « non-
agir », il lui faut donc travailler sur la vérité. Chose
étrange, il passe cette année-là par un retour à Freud —
un de plus — tout à fait inattendu : la justification du
scientisme. Toute une littérature analytique étudiait alors
minutieusement les façons multiples dont Freud s'était
au contraire séparé de la science de son temps, et Lacan

lui-même ne semblait pas avoir fait grand cas jusque-là de la « topique » freudienne, et des « appareils » multiples que Freud avait inventés pour rendre compte de la découverte de l'Inconscient. Or Lacan donne raison au scientisme de Freud, et d'abord, il en restitue l'existence, avant d'en expliquer la portée. Il décrit la filiation qui relie Freud à Brücke, le « patron » viennois, à Helmhotz, à Du Bois-Reymond, qui, en cherchant du côté de la neurophysiologie, ne quittaient pas les voies de la thermodynamique et ouvraient l'ère potentielle de l'inconscient, dont la conception fut d'abord énergétique. Il rappelle que c'est au nom de l'idéal scientifique que Freud s'est vigoureusement séparé de Jung, qui, avec les « profondeurs » du sujet et les archétypes universels et immémoriaux, rapportait la psychanalyse à la religion, plus qu'à la science. Il constate enfin, et c'est vrai, que, si les marxistes ont critiqué la psychanalyse elle-même comme « *science bourgeoise* » et « *idéologie réaction-naire*[7] », ils n'ont pas (trop) contesté la pensée de Freud « *au nom de ses appartenances historiques* ». Et il le fait, lui, Jacques Lacan, dans un panégyrique ambigu où se reconnaît, en filigrane, le premier trait mis à part, un autoportrait de celui qui était déjà devenu Lacan.

Ses appartenances historiques « *à la société de la double monarchie, pour les bornes judaïsantes où Freud reste confiné dans ses aversions spirituelles ; à l'ordre capitaliste qui conditionne son agnosticisme politique (qui d'entre vous nous écrira un essai, digne de Lamennais, sur l'indifférence en matière de politique ?) ; j'ajouterai : à l'éthique bourgeoise, pour laquelle la dignité de sa vie vient à nous inspirer un respect qui fait fonction d'inhibition à ce que son œuvre ait, autrement que dans le malentendu et la confusion, réalisé le point de concours des seuls hommes de la vérité qui nous restent, l'agitateur révolutionnaire, l'écrivain' qui de son style marque la langue, je sais à qui je pense, et cette pensée rénovant l'être dont nous avons le précurseur*[8]. » Quel était l'écrivain, quel était le penseur ? Le penseur, sans doute Heidegger ; peut-être, pour l'écriture, Aragon, Ponge, Char, Klossowski, Leiris... Les noms ne manquent pas. Lacan eut toujours l'art de l'allusion divertissante. Il est sûr, qu'il se rangeait à leurs côtés, qu'il participait, comme Freud, de l'agnosticisme politique et de l'éthique bourgeoise ; il est sûr également qu'il aspirait à rester dans la mémoire des hommes comme « *un homme de la vérité* ».

Et dès lors, il s'y emploie. Non sans balayer au passage le malheureux Paul Ricœur, qui avait suivi avec application le séminaire de Lacan, et qui en avait tiré un énorme ouvrage sur l'interprétation, où il goupillait ensemble la pensée de Freud, celle de Hegel et l'herméneutique chrétienne. Lacan n'y va pas de main morte, qualifiant de « radeau » ce genre de démarche avec laquelle, dit-il « *j'ai patiemment concubiné dix ans durant, pour la pitance narcissique de nos compagnons de naufrage, avec la compréhension jaspersienne et le personnalisme à la manque, avec toutes les peines du monde à nous épargner à tous d'être peints au coaltar de l'âme-à-l'âme libéral*[9] ». Ces amarres larguées, Jaspers et Mounier relégués au rayon des vieilleries, Lacan commence ses opérations de nettoyage.

La première consiste à évacuer l'illusion induite par la linguistique, ou par toute forme de science qui prétendrait se donner les moyens de « *dire le vrai sur le vrai* ». D'où une de ces formules privatives dont Lacan a le secret : « *Il n'y a pas de métalangage.* » Pas de « surlangage » qui permettrait de débrouiller, dans le langage dont il s'occupe, le vrai du faux (à l'époque, la sémantique s'évertuait à mettre sur pied de savants systèmes de décryptage des langages d'où ne ressortait, effectivement, que la banalité la plus évidente, celle qui y était déjà au départ). Pas de métalangage, pas « de truc » pour trouver les clefs de la vérité, « *puisque la vérité se fonde de ce qu'elle parle, et qu'elle n'a pas d'autre moyen pour ce faire* ». Aussi bien Freud avait-il « laissé » parler la vérité ; aussi bien lui, Lacan, avait-il choisi de faire parler la vérité par sa bouche : « *Moi, la vérité, je parle* », préférant l'emphase mythique à l'illusion de recettes faussement valides.

Deuxième nettoyage : la magie, qui sait guérir, comme la psychanalyse, par des moyens de parole. Même dispositif de transfert, même pouvoir des mots : mais le savoir y reste voilé pour le sujet de l'opération. « *La magie, c'est la vérité comme cause sous son aspect de cause efficiente.* » Les effets seuls apparaissent, mais non la vérité de la cause. Lévi-Strauss, à la fin du second volume des *Mythologiques*, aboutit à des conclusions voisines : la pensée sauvage — qui fonctionne dans la magie — opère selon la même logique que la science, mais cette logique est encore prise dans les réseaux mythiques et les images. Pour que la science existe, il faut que le mythe se réfléchisse sur lui-même : c'est ce qui advint lorsque les Grecs commencèrent à le faire, après que le commerce maritime et les échanges leur eurent, en quelque sorte, « ouvert » l'esprit. Dans la magie, le shaman et son patient sont pris dans le même ensemble naturel, interprété globalement et par l'un et par l'autre, l'un, le shaman, opérateur, l'autre, le patient, opéré.

Troisième distinction : la religion. Le sujet n'y a plus grand-chose à voir, puisque toute cause est remise en Dieu. « *... le religieux laisse à Dieu la charge de la cause, mais il coupe là son propre accès à la vérité. Aussi est-il amené à remettre à Dieu la cause de son désir, ce qui est proprement l'objet du sacrifice*[10]. » La « cause » est entendue : elle est divine. Et la vérité, suspecte : aussi bien brûla-t-on Giordano Bruno. Pour en finir : « *L'œcuménisme ne nous paraît avoir ses chances, qu'à se fonder dans l'appel aux pauvres d'esprit*[11]. »

Lacan, ce jour-là, réglait de vieux comptes, et n'avait plus personne à ménager. Si : ce nouveau public de jeunes étudiants, qui n'étaient plus sensibles au christianisme éclairé, et se ruaient sur Marx. La rencontre était spectaculaire. Elle fit basculer la théorie de Lacan.

Car si la psychanalyse n'est ni religieuse, ni magique, ni sémantique, qu'est-elle devenue ? La science de la cause matérielle, c'est-à-dire du signifiant. La théorie de l'objet-petit-a, le fameux objet déchu. Mais surtout, une science qui peut communiquer son savoir, ce que ne peut faire la magie, et ce à quoi se refuse la religion. D'où la nécessité d'une « *forme logique donnée à ce savoir* ». Gaillardement, Lacan s'engagea sur ce chemin, qu'il avait déjà bien exploré. Il y avait lurette qu'il manipulait des schémas : au moins une dizaine d'années. Des schémas en tous sens, de toutes sortes, qui se succédaient sans coup férir. Il y eut des schémas en forme de chicane, les premiers, qui ressemblaient à de grands Z ; il y en eut en forme de bouteille sans envers ni endroit, de drôles de bouteilles, dites bouteilles de Klein ; il y eut un pot de moutarde à moitié plein, à moitié vide, qui lui dura bien une bonne année de séminaire sur l'angoisse. Il y eut la célèbre bande de Moebius, que l'on vit apparaître sur la couverture de la revue de Lacan, *Scilicet*, dont l'anonymat était la règle absolue, exception faite des textes de Lacan lui-même (il faut bien vendre, dit l'éditeur). Il y eut un ouvre-bouteille ; il y eut enfin, et cette période dura jusqu'à la fin de l'École freudienne, les nœuds borroméens. Cela se manipulait soit en dessins sur le tableau — les « graphes » —, soit en bandes de papier découpé, soit en bouts de ficelle pieusement agencés par les lacaniens ravis. On distinguera deux époques dans l'ère des schémas. L'Ère Primaire, archaïque, où le Maître se contentait de représentations en deux dimensions, traits, flèches, points, sigles. Et l'Ère Secondaire, quand il s'avisa que les deux dimensions ne permettaient pas de faire comprendre au public de son séminaire la théorie de l'inconscient telle qu'il la concevait : une structure sans envers ni endroit.

Cette histoire-là, Freud l'avait déjà amorcée. La « topique » élaborée par Freud, tout cet appareillage qu'il poursuivit jusqu'à la fin de sa vie, à grand renfort de systèmes, d'énergies circulantes et de barrières psychiques, d'œufs embryonnaires d'où émergent des germes, c'était une recherche du même genre. Mais Freud ne nourrissait pas d'illusions sur ces instruments de travail, qui, comme le mythe qu'il construisit dans *Totem et Tabou*, ou dans *Moïse et le Monothéisme*, n'avaient pas la prétention d'être « de la science ». Ces petits dessins, et ces belles histoires, avaient la même fonction que le mythe dans la démarche philosophique des *Dialogues* de Platon : une autre « façon de parler », une autre manière de démontrer, une sorte de laboratoire pour la pensée. Lacan, lui, fut toujours ambigu dans l'usage qu'il fait de ses « machins ». Scientifiques ? Pédagogiques ? L'illusion était tentante de croire à la science ; beaucoup y succombèrent. Ce fut la véritable fin de ses découvertes. S'il put gloser à l'infini autour des objets mathématiques qu'il manipulait, là, sous le regard fasciné de ses auditeurs, il ne retrouva plus l'inspiration qui lui faisait relire Freud, ou parler de la clinique ; plus de bouchère hystérique. La « carte forcée » de la clinique avait disparu ; avec elle, une certaine forme de vie, un certain rapport au monde avaient également disparu. Restait le joueur.

Il modernisa la topique de Freud, et découvrit les joies de la topologie, des espaces mathématiques où l'on pouvait comprendre que l'espace euclidien n'était qu'un cas de figure. La démarche était toute simple. Lacan partait du dernier texte de Freud, celui où apparaissait l'expression de *Spaltung*, traduite par Lacan la « scission » (tiens ?), la refente, la division du sujet. Une « *béance* », un trou, pour mieux dire. Mais pas « à l'intérieur du sujet » : car cette formulation serait la pure et simple reconduction d'un clivage entre le corps et l'esprit, que Freud, avec ses multiples appareils, chercha à éviter, en superposant les instances (le Ça, le Moi, le Surmoi, le préconscient, le conscient, l'inconscient), bref, en contournant la *séparation* par tous les moyens. Les moyens utilisés par Lacan permettaient, avec d'autres espaces, de concevoir des formes sans envers ni endroit, sans bords, sans séparations simples, où le trou fait partie constitutive de l'ensemble. C'est le cas de la fameuse bande de Moebius : si on met le doigt sur l'un des points de cette surface, et que l'on s'y promène, on fera le tour de la bande sans jamais passer de l'autre côté, car il n'y a pas d'autre côté. Voilà qui aurait bien arrangé Alice au pays des Lapins blancs, une Alice imaginée par un Lewis Carroll fort féru de logique. Voilà ce qu'un graphiste comme Escher a parfaitement su rendre sensible, en dessinant des processions de fourmis sur cette bande bouclée, des fourmis qui se baladent dans un monde labyrinthique, où il devient impossible de crever le miroir, de franchir la frontière avec un « autre » monde. Cette limpide logique ne doit rien à l'invention de Lacan. Aussi bien en compliqua-t-il l'exposition.

Il se compliquait, à lui aussi, son propre passé. Le miroir dont il avait découvert la portée biographique fondait un espace illusoire ; et s'il avait trouvé l'instant et la fonction de cette phase de reconnaissance originelle, il n'avait pas trouvé la structure de cette illusion, ni surtout ce qu'elle cachait. *« Ce qui fausse la perception, c'est la conscience. A quoi tient cette étrange falsification ? Le miroir ne se définit que de cette surface qui divise pour le redoubler l'espace à trois dimensions, celui que nous tenons pour réel. L'image n'aurait pas cette valeur de méconnaissance si déjà une symétrie bilatérale fausse n'était pas mise en évidence : deux yeux, deux oreilles, etc. Mais à l'intérieur du corps, tout est tant soit peu tordu. Et comment peut-on rendre compte que le sujet divisé ait pu s'inscrire dans un monde à topologie sphérique[12] ? »* Telle était la question, qui l'entraîna dans des voies folles : folles de jeux topologiques, folles, dans le même temps, de mots qui se mettaient à causer tout seuls. Lacan devint schizophasique, comme ses malades des années 30 : passion d'un joueur.

3. *Le joueur*

Qu'il ait eu la passion du jeu, ce n'était pas une nouveauté. Le premier texte des *Écrits*, le seul qui ne soit pas à sa place chronologique, et qui date de 1956, *La Lettre volée*, est un jeu de piste où un policier, par déduction, trouve une lettre introuvable. Un curieux texte, *Le Temps logique et l'assertion de certitude anticipée*, fut écrit au sortir de la guerre : Lacan y réfléchissait sur une petite énigme, un jeu de société[13]. Et après tout (ou avant tout), le stade du miroir ressemble à un tout premier jeu. Même la psychanalyse, pour la part de jeu qu'elle comporte, est conçue comme un jeu — l'un des plus graves et des plus rébarbatifs, le jeu de bridge : l'analyste y est, bien évidemment, à la place du mort, hors jeu, toujours dans le non-agir. Mais si vous croyez que la « place du mort » ne donne pas lieu à commentaire...

Or le jeu, Freud en avait parlé, à propos de son petit-fils, autour d'une histoire de bobine : le gamin la faisait glisser sous le lit avec des « ôooo » et des « âaaaa », d'où Freud déduisit que les mots, imprononçables pour le tout-petit, étaient *« fort »* et *« da »* : loin, et près, et que la bobine représentait le corps de sa maman absente, avec lequel l'enfant jouait, en la faisant « revenir » de dessous le lit. C'est un classique de la psychanalyse, quelque chose comme le sacrifice d'Abraham dans l'Ancien Testament. Depuis lors, le jeu était devenu l'une des activités les plus utiles de l'arsenal thérapeutique dans les analyses d'enfants ; bouts de bois, pâte à modeler, petits dessins, trains électriques et nounours sont des accessoires indispensables au psychanalyste officiant. Ils lui permettent de créer un espace libre, où l'enfant peut s'en donner à cœur joie, mordiller, casser, tordre, étreindre, rapprocher ou éloigner des objets insignifiants porteurs de toutes les âmes du monde. De son côté, Lévi-Strauss s'apercevait que les émouvants jeux de ficelles qui amusent les enfants dans tous les coins du globe sont l'expression de corrélations profondes entre l'astronomie, les règles de parenté, la cuisine, les instruments de musique. Bref, on ne joue pas « pour rien », ni « pour de rire ». Et Lacan ne joua jamais gratuitement.

L'enjeu n'était pas d'argent, mais de prestige et de

savoir mêlés. Son ambition ressemblait confusément au désir encyclopédique : tout embrasser de la culture de son temps. Tout : le poète, le romancier, le logicien, l'historien, l'éthologue, le linguiste (l'un de ses meilleurs amis fut Roman Jakobson), mais aussi le cinéaste, le peintre... « *Le désir*, dit-il un jour, *domestiqué par les éducateurs, endormi par les moralistes, trahi par les Académies, s'est réfugié dans la passion du savoir*[14]. » Il s'était fait, lui, son Académie personnelle : en tous les sens du terme. Un jardin où l'on enseigne ; une école pour une classe sociale privilégiée ; un bout d'Université ; une nudité exposée... Et même, dans sa définition initiale, une Académie française : puisque Richelieu la fonda pour « *observer et surveiller le langage et son bon usage* ». Il paraît qu'il existe un ultime sens pour le mot *académie* : une maison de jeux.

Le vieux monsieur Winnicott, qui avec des moyens bien différents avait trouvé lui aussi que l'objet du désir, c'était bien intéressant, a formulé une théorie du jeu pleine de bon sens. « *Pour contrôler ce qui est au-dehors, on doit faire des choses, et non simplement penser ou désirer, et faire des choses, cela prend du temps. Jouer, c'est faire*[15]. » Et il ajoutait, au détour d'une histoire de gamin : « *Ce qui est naturel, c'est de jouer, et le phénomène très sophistiqué du XX*e *siècle, c'est la psychanalyse. Il serait bon de rappeler constamment à l'analyste non seulement ce qu'il doit à Freud, mais aussi ce que nous devons à cette chose naturelle et universelle, le jeu*[16]. » Première hypothèse : et si Lacan s'était mis à jouer avec les mots, les flèches, les graphes et les bouteilles et les nœuds simplement pour « *Faire* », lui qui avait si justement compris que « *la pensée des analystes est une action qui se défait* » ? Si, submergé lui-même de sa propre théorie, voué à la transmettre, ne pouvant arrêter le processus de son enseignement sans donner raison aux inquisiteurs qui l'avaient excommunié, il avait trouvé le repos dans une activité « naturelle et universelle », un jeu d'enfant ? Je l'imagine, entrelaçant entre ses doigts les laines d'une pelote distraite, et nouant sans chercher à comprendre des nœuds sans portée théorique... Le repos. Le paradis de Lacan. Sans miroir à portée de la main. Sans oreille pour l'entendre, et sans divan devant lui...

Un espace d'omnipotence. Un espace de maîtrise, le premier. Winnicott encore : *« C'est de la précarité de la magie elle-même dont il est question, de la magie qui naît de l'intimité au sein d'une relation dont on doit s'assurer qu'elle est fiable* [17]. » Pour désigner les objets qui occupe-ront le terrain de l'exercice de la toute-puissance de l'enfant, Winnicott a inventé le terme d'*objet transitionnel,* qu'à l'occasion (oh ! rarement) Lacan reprend. L'objet transitionnel, dans la vie du bébé au berceau, c'est quelque chose qui peut être agressé, déformé, trans-formé, *« aimé avec excitation et mutilé »,* mais toujours *« affectueusement choyé »,* de sorte qu'il ne changera jamais, si défiguré soit-il : l'ours en peluche, sans oreilles, sans yeux, sans pattes et éventré, reste l'ours en peluche, et le préféré. Cet objet-là, pour un adulte, lui viendrait « du dehors » : comme tous les objets manufacturés. Mais pour l'enfant, ce n'est pas pareil : il ne lui vient ni du dehors ni du dedans ; il est « transitionnel », entre la notion d'un monde extérieur et celle d'un sujet à peine éclos. Autant la phase du miroir est instantanée et radicale, autant la période transitionnelle et le règne des objets du même nom s'étalent, longtemps, jusqu'à ce que se soient établies de bonnes relations entre l'enfant et le monde. Cet objet-là, l'enfant ne l'oublie jamais : il ne le perd pas. C'est donc, fait d'exception, un objet dont l'enfant devenu adulte n'aura jamais à faire le deuil. Un objet jamais perdu.

Or, par la durée de leur usage, par le plaisir manifeste et maladroit que Lacan parfois mettait à les exhiber, par la manipulation qu'il en suscitait — sans toutefois trop les toucher lui-même —, les accessoires mathématiques lacaniens ressemblent à des objets transitionnels, et l'espace théorique qui commence alors, à un espace transitionnel. Les observations de Winnicott, comme celles de Lacan dans les années 30, touchaient au problème de la séparation entre la mère et l'enfant. Pour Winnicott, l'expérience culturelle tout entière commence avec l'objet transitionnel, et avec le jeu qui l'utilise. Si cette première expérience est bonne, le sujet aura un espace « sacré », le sien propre, lieu de sa « créativité » (ah ! évidemment, ils n'ont pas le même langage, Winnicott et Lacan...). Mais si l'expérience est mauvaise, « *l'exploitation de cette aire conduit à une condition pathologique où l'individu est littéralement encombré d'éléments persécutifs dont il n'arrive pas à se débarrasser*[18] », précise bien le vieux monsieur anglais. *Persécutifs*.

Suite de l'hypothèse : les fameux objets mathématiques dont s'est tant servi Lacan auraient peut-être eu la fonction vitale de le préserver dans un espace psychique soumis, effectivement, à persécution. Mais la persécution, il s'y était toujours intéressé, Lacan... Dès ses premiers pas dans la psychiatrie. Alors ? Alors ces petits jeux protègent, emplissent, occupent, font. Quand l'analyste est submergé de l'angoisse de ses patients, quand sa pensée se défait à force de n'agir pas, quand le non-agir, le non-parler sont la loi, quand il a été l'objet lui-même, haï et expulsé, jouer devient utile. Lacan fit jouer des générations d'adultes : mais eux, ils croyaient apprendre, quand il s'agissait pour Lacan lui-même de structurer une aire culturelle bien particulière, attachée à un maître du jeu. Et ces objets-là, qu'il avait « trafiqués » en leur attribuant une nouvelle lecture, ses graphes, ses nœuds à lui, il ne serait pas obligé d'en faire le deuil. Le deuil, sans doute, était ailleurs.

4. *Les quatre coins*

Le premier jeu est celui des quatre coins[19]. Lacan dessine un « Z » (comme le Z de Zorro ou de Zarathoustra). Et, aux quatre coins du Z, il place des lettres : un A majuscule, un a minuscule, un autre a minuscule affecté

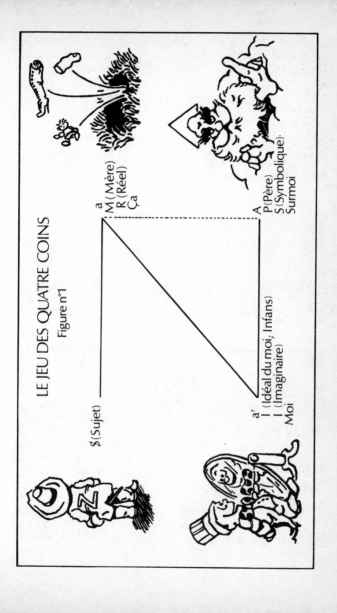

LE JEU DES QUATRE COINS

Figure n°1

$ (Sujet)

a
M (Mère)
R (Réel)
Ça

A
P (Père)
S (Symbolique)
Surmoi

a'
I (Idéal du moi; Infans)
I (Imaginaire)
Moi

d'une virgule — a' — et un S. Cela va aller tout seul : le
$, c'est le sujet ; le A, c'est l'Autre, toujours le même,
l'Inconscient ; le a, c'est l'objet du désir ; reste le a', que
Lacan introduit pour désigner le reflet de tout cela dans
le petit monde imaginaire du sujet. Mais il le dit bien
mieux : « [Le sujet] *tiré aux quatre coins du schéma, à*
savoir S, son ineffable et stupide existence, a, ses objets,
a', son moi, à savoir ce qui se reflète de sa forme dans ses
objets, et A le lieu d'où peut se poser à lui la question de
son existence[20]. » Un glossaire, point trop compliqué.
D'autant qu'il reformule encore, quelques lignes plus
loin, la question « *"Que suis-je là ?" concernant son sexe et*
sa contingence, à savoir qu'il est homme ou femme d'une
part, d'autre part qu'il pourrait n'être pas, les deux conju-
guant leur mystère, et le nouant dans les symboles de
la procréation et de la mort[21]. » Cette fois, on s'y retrouve
un peu davantage. Mais quel rapport entre les deux
textes ?

Justement. Le jeu des quatre coins n'est pas fini. Même
« Z » ; mais autres lettres, dans les mêmes positions. Le S,
lui, ne bouge ni de place ni de sigle. Mais à la place du A,
vient la lettre P : *le Père*. A la place du a minuscule, la
lettre M : *la Mère*. A la place du a', la lettre I : *l'Idéal du*
Moi, notion bien freudienne pour désigner la manière
dont le Moi se fixe une existence rêvée. I, c'est aussi
l'Infans, celui qui ne parle pas. Que découvre-t-on ? La
bonne vieille famille. L'enfant, la mère, le père : le
triangle. Mais quand, dans l'œuvre de Freud, le triangle
familial ne comporte, immuablement, que ses trois termes, il est, dans le schème lacanien, accompagné du
quatrième terme, le sujet. Et c'est le sujet qui « pense » le
triangle, dès le stade du miroir. Il n'est pas plus dans le
jeu que ne le sera l'analyste : « *Le quatrième terme est*
donné par le sujet dans sa réalité, comme telle forclose dans
le système et n'entrant que sous le mode du mort dans le jeu
des signifiants, mais devenant le sujet véritable à mesure
que ce jeu des signifiants va le faire signifier[22]. » Voici donc
notre bonhomme, sur ses pieds, armé de son armure

d'identité, avec son Z dans le dos, doté d'un imaginaire illusoire mais nécessaire, et titulaire de ce petit jeu de cartes qui seront toujours les mêmes : son père, sa mère et l'image qu'il a de lui-même. Un petit cirque fantasmatique inévitable ; c'est bien la question précédente, sur son sexe (Qui suis-je, homme ou femme, papa, maman, ou moi ?), où est-il (à quelle place vais-je jouer, celle de papa, etc.) avec une marge de manœuvre étroite, limitée. Reste à jouer, reste, somme toute, à vivre ; c'est-à-dire à laisser jouer le signifiant.

Mais le jeu des substitutions de lettres n'est encore pas terminé, pensez donc ! Troisième donne. Le sujet S, toujours barré, ne change pas. Mais à la place de *A* ou de *P*, je mets la lettre S (compliqué, ce n'est pas la même que celle du sujet) ; à la place de la lettre *a* ou *M*, je mets *R* ; et à celle de *a'* ou de *I*, je garde, tiens, I. S veut dire *Symbolique* ; *R, Réel* ; *I, Imaginaire*. Cette triade a fait les beaux jours des lacaniens d'une certaine génération (1960, à peu près) : *RSI*, vous trouverez cela dans tous leurs coins à eux. Ce n'est pourtant pas sans intérêt. Car chacune de ces trois instances — qui retrouvent d'ailleurs au passage la topique freudienne, le Symbolique du côté du Surmoi, le Réel du côté du Ça, et l'Imaginaire du côté du Moi — est constitutive du jeu vital pour chacun.

Et d'abord le *Réel*, parce qu'il est toujours défini comme *l'impossible*. Et c'est certainement, dans la pensée de Lacan, l'un des points de résistance les plus difficiles. On arrive bien à entrevoir que, si le Réel et le Ça de la topique freudienne ont quelque chose à voir, le Réel sera toujours aussi incontrôlable, aussi fou, aussi débordant que le Ça. Mais conjoindre deux notions aussi traditionnellement incompatibles que *réel* et *impossible*... Il faut dire que le réel n'a plus grand-chose à voir ici avec une notion « réaliste », avec un postulat sur le monde. Le Réel pour Lacan ne se conçoit pas sans la barrière du Symbolique, qui préexiste pour tout sujet à sa naissance ; cette barrière fonde la perception du monde pour le sujet. Or cette perception est *préservée* ; car le Réel, quand il surgit vraiment, est terrifiant. Cela arrive parfois, soit que le sujet, submergé par la folie, hallucine le Réel là où il n'est pas, et croit « voir » ; soit que, toujours submergé par la folie, il se précipite dans un bouleversement total du monde autour de lui, et c'est le passage à l'acte — le geste meurtrier (ou, si le sujet est en analyse, l'« *acting out* », un geste insolite à la seule intention du psychanalyste). Ces deux cas de figures sont là pour rendre sensible ce que le réel a d'*impossible* : impossible à voir, à dire, à entendre, puisque, de toute façon, il est « *toujours-déjà-là* ». Les formules se précisent : le réel « *cause tout seul* » ; il « *n'attend pas, et nommément pas le sujet, puisqu'il n'attend rien de la parole*[23] ». Il est « *une ponctuation sans texte* » : l'acte pur, le geste brut, hors de toute chaîne, brusquement. « *Il est là, identique à son existence, bruit d'où l'on peut tout entendre, et prêt à submerger de ses éclats ce que le "principe de réalité" y construit sous le nom de monde extérieur*[24]. » On rencontre ici, en définitive, l'inverse de ce qu'on pouvait attendre avec le terme de réel, entendu en son sens classique qui qualifie le monde perçu par l'homme. Lorsque quelque chose en apparaît, c'est dans l'épouvante de la psychose, et le trouble de la folie. Le concept lacanien du Réel aura donc bien, du Ça, les pouvoirs déconcertants et imprévisibles — toujours un temps d'avance — et de la Mère, les images archaïques de la terreur.

L'*Imaginaire* ensuite ; avec le stade du miroir, nous en avons rencontré l'aurore. L'Imaginaire n'a rien de terrible, lui. Que ferions-nous sans ses accessoires qui s'accrochent au sujet comme la panoplie d'un déguisement perpétuel ? C'est un habillement, dont le premier est l'armure : un habillement protecteur, qui met le sujet hors d'atteinte. C'est lorsque l'Imaginaire s'efface qu'apparaissent l'hallucination, passion du sujet, et l'« acting-out », action du sujet. Il faut, pour atteindre ce point, que quelque chose se soit violemment troublé dans la structure en miroir : par exemple, quand Christine est séparée de Léa, et qu'a disparu son seul point de repère imaginaire, son personnage double, sa sécurité. L'Imaginaire remplit une fonction qui déjà s'annonçait dans les textes sur le stade du miroir : la fonction d'une « *méconnaissance* ». Mais pas question de « connaissance » qui pourrait s'atteindre en se débarrassant de ce filtre inéluctable : la méconnaissance fait partie de la structure du sujet[25]. Voilà : c'est cela, le Moi. Il faut se faire, le mot n'est pas de trop, une raison.

D'autant que l'instance déterminante, le *Symbolique*, gère le tout. Le Symbolique, c'est simple, préexiste : si le Réel est « *toujours-déjà-là* », instant par instant, le Symbolique, lui, dure depuis toujours. Avant sa naissance, le futur petit d'homme tient une place dans une lignée familiale, il a parfois même un prénom qui l'apparentera, le moment venu, à tel de ses ancêtres dont il portera les hardes mortes : « *Le nouveau bonhomme reprendra un dossier d'avant ses grands-parents.* » Aussi bien la fonction symbolique est-elle liée, non pas seulement au Père, mais au Nom-du-Père, locution pour laquelle Lacan a pris grand soin d'ajouter des tirets comme une marque de sa fabrique à lui : le Nom-du-Père, il se le revendique comme un concept-à-lui. Un concept qui fondera son autorité.

5. *La faillite des pères, et tout ce qui s'ensuit*

C'est à propos du président Schreber, qui aura fait couler autant d'encre analytique que l'Homme aux Loups, que Lacan développe la théorie du Nom-du-Père, effectuant, cette fois, pour de bon, un retour à Freud d'autant plus spectaculaire que toute une littérature, depuis les écrits du fondateur, avait plutôt braqué les projecteurs sur le rôle de la mère dans le déclenchement des psychoses. Le président Schreber était un digne magistrat, d'une non moins digne famille prussienne. Son père, Daniel Gottlob Moritz Schreber, fonda un institut d'orthopédie à Leipzig, et resta célèbre comme éducateur, pas vraiment du genre libéral : culture physique, appareils de redressement et frustration organisée. Ce n'est donc pas sur l'absence réelle du Père que porte l'effet de la psychose. Mais sur les effets de « *faillite* » qui peuvent advenir d'un dérèglement de ce que Lacan appelle « *la métaphore paternelle* ». Métaphore, c'est-à-dire rapport de substitution d'un mot à un autre, « *un mot pour un autre* [26] ». Parler de métaphore paternelle, c'est donc indiquer la corrélation entre le nom de famille — obligatoirement nom du père — et le sujet qui vient au monde. Or pour peu que, présent ou pas, le père n'occupe pas la place symbolique qui lui est assignée dans nos cultures, il y a désastre.

Le désastre du président Schreber le conduisit à un délire illustre. Le jugement qui le libéra de son enfermement résume ainsi son système : « *Il se considérait comme appelé à faire le salut du monde et à lui rendre la félicité perdue. Mais il ne pourrait le faire qu'après avoir été transformé en femme* [27]. » Cet homme si bien élevé, qui certifie avoir été l'objet d'une éducation morale irréprochable (on s'en doute) et avoir toujours pratiqué une extrême retenue en toutes choses, « *en particulier en matière sexuelle* », le voici qui se transforme en femme : se découvrant des zones érogènes et des « *nerfs de volupté* », s'habillant, devant un miroir, en femme, et se trouvant un buste convaincant, auquel tout homme pourrait se laisser prendre ; le voici hanté par la crainte d'un Dieu dont il attend qu'il le féconde, comme une vierge immaculée. Désastre social, mais solide délire, et bonne défense : que s'est-il passé ?

Faute de pouvoir se repérer au père, le psychotique s'est repéré à la mère ; mais la place essentielle, celle d'où il tient son propre nom, sa filiation, et donc son inscription dans un monde de relations humaines, cette place-là est restée vide. Elle ne disparaît pas : elle est en creux. Lacan désigne ce mécanisme par le terme de

« *forclusion* ». Terme juridique : est forclos ce qui, dans le registre des coutumes du droit, n'a plus cours. La forclusion implique la déchéance d'un droit que l'on n'a pas fait valoir dans les délais prescrits ; et le terme de « déchéance », livré par le plus simple des dictionnaires, désigne bien la déception causée par le Père. En chair et en os, il est là. Mais la carence paternelle peut trouver bien des voies pour que le droit symbolique du Père soit déchu, au plus grand dam de l'enfant. Lacan constate que « *les effets ravageants de la figure paternelle s'observent avec une particulière fréquence dans les cas où le père a réellement la fonction de législateur ou s'en prévaut, qu'il soit en fait de ceux qui font les lois ou qu'il se pose en pilier de la foi, en parangon de l'intégrité ou de la dévotion, en vertueux ou en virtuose, en servant d'une œuvre de salut, de quelque objet ou manque d'objet qu'il y aille, de nation ou de natalité, de sauvegarde ou de salubrité, de legs ou de légalité, de pur, du pire ou de l'empire, tous idéaux qui ne lui offrent que trop d'occasions d'être en posture de démérite, d'insuffisance, voire de fraude, et pour tout dire, d'exclure le Nom-du-père de sa position dans le signifiant*[28] ».

Il y a du monde sur le bateau de la faillite paternelle ; pour être réformateur, saint familial, dirigeant politique, ou grande conscience nationale, il vaut mieux être célibataire. Et Lacan ne manque pas une occasion pour attaquer les fondements de la morale bourgeoise, dont par ailleurs, comme Freud, il se fait, discrètement, l'exemple même, gardant sa vie « privée » comme telle, privée de tout retentissement public.

La même histoire, celle de la faillite de la métaphore paternelle, advint à un criminel parricide en 1835, qui, au terme d'un délire qui n'est pas sans analogie avec celui du digne président, tua, à coups de serpe, sa mère, sa sœur et son frère pour faire bonne mesure[29]. Le destin de Pierre Rivière, jeune paysan peu fortuné de la campagne normande, n'a apparemment rien à voir avec le délire sophistiqué et l'enfermement bourgeois d'un président de chambre, magistrat renommé ; le scandale fut d'une autre nature — mais, dans les deux cas, il y eut « scandale » ; choc social. Pierre Rivière, en un premier temps, fut condamné à mort : il est vrai que, dans le même temps, de grands régicides — Lacenaire, Fieschi — avaient commis des exploits sanglants, et que la monarchie, point trop solide depuis la tête tranchée de Louis XVI, devait trancher, elle aussi, les fortes têtes. Vouloir tuer le roi ou tuer la mère, c'était la même affaire. Pierre Rivière voulait cette mort-là ; il fut déçu, car les psychiatres intervinrent et le déclarèrent fou. Rivière se tua dans sa prison.

Tout, dans l'histoire familiale, était en place pour la constitution d'un délire. Mariage de raison entre son père et sa mère ; point d'amour, mais un arrangement rendu nécessaire par la conscription, en 1813, à l'époque où l'Ogre napoléonien dépeuplait les campagnes. Le père Rivière épouse Victoire Brion. Mais cela se passe mal ; les époux se trouvent pris dans de sombres affaires de dots, de terres, de marchandages ; ils ne couchent pas ensemble, et quand cela arrive, Victoire chipe l'oreiller et la couette. Elle hait ce mari qui ne l'aime pas ; elle le contraint à être son métayer ; ils se séparent, se disputent les enfants, c'est l'horreur banale des divorces, augmentée de l'âpreté paysanne, à une époque de disette. Que le petit Pierre sache le détail des embrouilles de famille, c'est déjà un signe de la rumeur autour des Rivière. Mais il y a plus : il évoque une scène qui suivit de peu sa propre naissance, une scène que sans doute sa grand-mère chérie lui raconta. « *Dans le commencement de 1815 ma mère accoucha de moi, elle fut bien malade de cette couche. Mon père prit tous les soins qu'il fallait prendre envers elle... il dit que lors qu'il se coucha par la suite il ne pouvait dormir, qu'il était accoutumé à veiller dans cette maladie de ma mère, les mamelles lui pourrirent et mon père les lui suçait pour en extraire le venin, ensuite il le vomissait à terre*[30]. » Scène incroyable. Un abcès au sein devient une tragédie antique ; et la mère, un serpent venimeux, à moins qu'elle ne soit elle-même piquée par ce petit serpent qui venait de lui naître... Scène fixée à jamais : la mère est venimeuse, pourrie, et le père est un saint. D'ailleurs quand il va chanter à l'église, cinquante personnes pleurent autour de lui.

La mère prévaut ; le père est en déroute, chassé des terres familiales, banni, Cendrillon de son épouse. Pierre commence à agiter des fantasmes : autrefois, les femmes se révoltaient contre les tyrans, Judith, Charlotte Corday, aujourd'hui, c'est l'inverse. Il faudra donc qu'un homme — et ce sera lui — se révolte contre la tyrannie féminine. Son modèle : La Rochejaquelein, le héros chouan, qui portait, tant il était jeune, blond et rose, un surnom féminin. Son horreur : l'inceste. Surtout, qu'aucune femme ne le touche. Un beau jour, il met ses habits du dimanche pour donner à son geste la solennité convenable, et il prend sa serpe avec lui. Il tuera les deux femmes, sa mère et sa sœur ; et son frère, afin que le père puisse détester vraiment le meurtrier.

Victoire trouvera, avec son fils Pierre, sa première et définitive défaite. Le processus s'était accompli « *par quoi le signifiant s'est "déchaîné" dans le réel, après que la faillite fut ouverte du Nom-du-père, c'est-à-dire du signifiant qui dans l'Autre, en tant que lieu du signifiant, est le signifiant de l'Autre en tant que lieu de la loi* [31] ». Il y avait eu bascule de l'univers : la mère était le signifiant de la loi, mais Pierre portait le nom de son père, c'était une insupportable contradiction. Sans loi paternelle, sans effacement du désir de la mère, pas d'enchaînement du signifiant, pas de langage normal. Il y aura langage, mais il sera « fou ». Le symbolique renvoie dans un même mouvement au Surmoi, à l'Autre, et au Père : c'est tout un.

Additif numéro un. C'est justement sur le thème du Père que Lacan, en 1960, commence à parler de lui à la troisième personne. C'est un détail, une broutille ; mais voyons le contexte. Qu'est-ce qu'un père, telle est la question posée. « *C'est le Père mort, répond Freud, mais personne ne l'entend, et pour ce que Lacan* [c'est lui qui

173

parle] *en reprend sous le chef du Nom-du-Père, on peut regretter qu'une situation peu scientifique le laisse toujours privé de son audience normale*[32]. » D'où il découle à l'évidence que *a)* Freud et Lacan ne furent pas « entendus », commun et glorieux destin ; *b)* Lacan, l'exclu potentiel, est bel et bien l'héritier de Freud : dont acte. Il fallait bien que cette déclaration de filiation, si grincheuse fût-elle, se fît sous les auspices de la métaphore paternelle...

Additif numéro deux. Lacan prend grand soin de distinguer la relation délirante de Schreber à Dieu, d'avec « *la Présence et la Joie qui illuminent l'expérience mystique*[33] ». Schreber ne tutoie pas Dieu ; un vrai mystique, dans l'« *Union de l'être à l'être* », s'adressera à l'Autre en personne. Lacan préserve encore le domaine réservé d'une issue, sans doute la seule, à l'impasse qu'il a lui-même décrite : l'issue mystique, seule à outrepasser légitimement les limites.

De quoi Lacan a-t-il accouché avec ce premier jeu ? D'un triangle, et d'un joueur mort, le quatrième terme. D'une très brillante broderie autour du complexe d'Œdipe, et donc, d'une bonne lecture de Freud, formalisé, reformulé. Sublime pédagogie, capable de faire passer pour neufs des textes trop connus, devenus usagés. Sur ce terrain, il n'avait pas fini d'épater son public.

6. *La marelle, ou l'ouvre-bouteille*

Ce graphe, celui qui ponctue d'un bout à l'autre un texte intitulé : *Subversion du sujet et dialectique du désir*, il l'appelle, au passage, « *l'ouvre-bouteille* ». J'y verrai aussi une marelle : lorsque les enfants en dessinent une, à la craie, sur le trottoir, il y a toujours un ciel, où il faut arriver à cloche-pied. Clopinons donc : une case, puis l'autre.

Cela commence tout doucement, mine de rien, par une sorte de lacet. Prenez un fil de fer, recourbez-le en

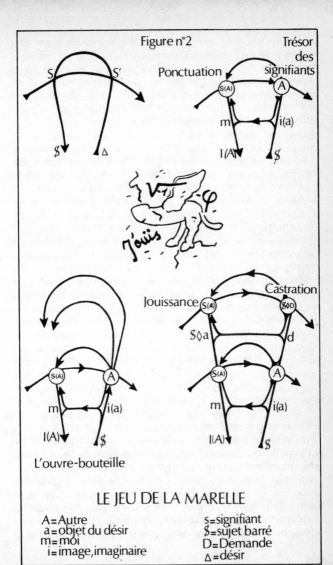

Figure n°2

Trésor des signifiants

Ponctuation

Jouissance

Castration

L'ouvre-bouteille

LE JEU DE LA MARELLE

A = Autre
a = objet du désir
m = moi
i = image, imaginaire

s = signifiant
$ = sujet barré
D = Demande
Δ = désir

boucle, vous aurez un hameçon. Croisez-le d'un autre fil à l'horizontale, vous aurez le premier temps de l'ouvre-bouteille, la « *cellule élémentaire* » du langage et du sujet qui parle. La boucle, sur le dessin, est orientée à l'envers : de droite à gauche. Elle va du désir (Δ) au sujet, dûment barré en travers pour bien certifier qu'il n'y est pour rien. La ligne horizontale est orientée normalement, de gauche à droite, elle va de S, le signifiant, à S', n'importe quel autre signifiant : chaîne ininterrompue. (Ne pas confondre le S barré [$] et le S du signifiant. On peut être un génie et s'emmêler les pédales.) Quand la boucle et la ligne se croisent, ça fait, dans le haut, un circuit ; si bien que le haut de la boucle et une partie de la ligne découpent un bout d'espace à l'envers. C'est ce qui se passe dans le mouvement d'une phrase : elle s'en va à l'aveuglette, de mot en mot, chaîne ininterrompue que soutient le sujet qui parle, ou écrit, et où vais-je m'arrêter ? Le point d'interrogation, ponctuation, vient de mettre fin à la phrase. Elle n'a donc trouvé sa signification rétroactive qu'avec cet acte, la ponctuation, qui n'existerait pas si le sujet ne décidait, comme le psychanalyste à la fin de la séance, d'arrêter là. Là, pour l'instant. Une phrase, c'est donc bien le croisement de la subjectivité et du langage.

Un pied dans la seconde case, l'autre en l'air. Lacan pose deux lettres — pas de panique, ce sont encore les mêmes — aux points de croisement. A droite, le A majuscule, le sigle de l'Autre ; à gauche, là où s'arrêtera la signification « *comme produit fini* » , l'expression *S(A)*, qui renvoie à la ponctuation.

Le premier point de croisement, le A tout court, est un lieu : le « *lieu de l'Autre* », que Lacan appelle indifféremment le « *creux de recel* », ou « *le trésor des signifiants*[34] ». C'est déjà plus intéressant que toutes ces désignations formelles. Il existe donc — mais les ethnologues comme Marcel Mauss, relayé par Lévi-Strauss, l'avaient déjà dit en leur temps — une réserve, toute fictive, où tous les signifiants d'une langue dorment, en attente[35]. Quelque chose comme le pot commun d'une langue, mais aussi, l'endroit de toutes ses ressources potentielles : là où le poète ira trouver ses nouveaux mots encore inconnus, et Lacan, ses néologismes. Un trésor, oui, un vrai trésor enfoui ; « creux de recel », parce que ce sont les mêmes richesses qui, usagées, s'enfouissent pour être ressorties plus tard, ou ailleurs. C'est ce que fait Lacan quand, par exemple, il réutilise le terme de *forclusion* hors de son terrain juridique ; ce qu'il fait encore quand il détourne le terme de *signifiant* hors du domaine linguistique ; ce que fait n'importe quel poète. Mais, si l'Autre a un lieu, c'est ce lieu que figurera l'analyste dans son fauteuil ; un tiers lieu, différent du lieu commun de la communication normale, qui tolère mal, elle, qu'on se serve à l'improviste de signifiants tombés en désuétude... Essayez un peu, pour voir, de lâcher un néologisme dans une conversation, sans crier gare. On rira, cela passera pour un mot d'esprit, dans le meilleur des cas ; on l'on vous rira au nez, c'est le début de l'exclusion sociale qui conduit le fou à la folie. Au moins, l'analyste offre ce lieu tierce, neutre, où peuvent ressortir les signifiants les plus hétéroclites ; ou mieux, hétérodoxes, ceux qui sont différents de la « doxa », de l'opinion commune. Voilà qui confère à l'analyste son allure distinguée de sage hors du monde, son allure de dingue, sa démarche de piqué : « pas-comme-les-autres », et c'est par fonction.

Le second point de croisement — second dans le déroulement chronologique du temps de la phrase —, c'est la fonction *S(A)*. Ce n'est pas un lieu, mais un moment. Si l'Autre est un « creux de recel », *S(A)*, la ponctuation, est un « *forage pour l'issue* » : faut que ça sorte, et faut que ça s'arrête là. Le circuit est simple : j'existe, je parle, en pêchant mes mots dans la langue, et j'arrête mes mots pour qu'ils fassent sens. Je n'existe donc qu'après coup : au futur antérieur, quand j'aurai parlé. « *Effet de rétroversion par quoi le sujet à chaque étape devient ce qu'il était comme d'avant et ne s'annonce : il aura été — qu'au futur antérieur*[36]. » Mais le même processus se passe au moment du stade du miroir : pas de « moi » sans image dans la glace. On ajoutera donc à la boucle et à la ligne, quelque part vers le milieu, le sigle de l'image (i(a)) et celui du Moi (m). Broutilles. Continuons à clopiner.

Deuxième étage de l'ouvre-bouteille ; il commence à se transformer en marelle. C'est ici que l'invention poétique de Lacan fait mine de se parer des plumes d'un paon scientifique, sans vraiment convaincre. Poudre aux yeux. Parce qu'il a déjà parlé de la « question » de l'Autre, il fait surgir d'un des points de son schéma une sorte de point d'interrogation en deux courbes fléchées. C'est joli ; ça fait « question ». Rien là de vraiment scientifique mais, comme c'est un « graphe », c'est du sérieux. Pourtant, Lacan est plus inspiré encore dans ces jeux autour de la science que lorsque, plus tard, il utilisera vraiment les structures tout à fait fondées de la topologie ; car alors, il ne pourra plus que commenter, de façon répétitive, des formes qu'il n'aura pas inventées, qui ne seront pas les siennes. Les deux courbes se referment vite : elles n'avaient qu'une fonction rhétorique.

Refermées, elles redoublent l'étage inférieur, et cette fois le graphe est complet. Mais les sigles qui se posent, homothétiquement, sur l'étage « céleste » de la marelle du désir, demandent commentaire. Commençons par la mi-temps de l'étage supérieur : le tracé d — $ \mathbb{S} \diamond a$. Voyons « d », c'est le désir ; il s'en va vers le fantasme — par exemple, un saumon fumé manquant dans un dîner. Car c'est la formule du fantasme que Lacan écrit sous cette drôle de forme : $\mathbb{S} \diamond a$. Nous en connaissons tous les termes, $\mathbb{S}$, le sujet barré, a, l'objet du désir, petit, perdu, déchu, tombé du corps. Reste le losange, $\diamond$, que Lacan nomme le « poinçon », comme il y a un poinçon sur l'argent, qui en garantit l'authenticité en France. Si le fantasme a un « poinçon », c'est que chacun a le sien, authentique, et qui lui appartient en propre. Autant de fantasmes que de sujets ; prière de ne pas confondre avec celui du voisin, et de ne pas mélanger le caviar et le saumon fumé. Ni l'accouplement divin de Schreber avec le fantasme de Charlotte Corday, propre à Pierre Rivière.

Ce poinçon, marque de fabrique de l'individu, n'est pas une forme hasardeuse : c'est aussi la conjonction de < et de >, « plus petit que » ; et « plus grand que », conjonction tout à fait absurde, bien faite pour signifier l'essentiel du fantasme ; son *impossibilité*. Le fantasme est donc, propre à chacun, une scène où se joue le rapport du sujet à l'objet de son désir, et ce rapport est impossible dans le réel. Il arrive que crève le « *cerveau de papier* » qu'est le fantasme : belle image d'une protection imaginaire fragile, qui cède sous une pression trop forte. C'est alors le passage dans le réel, l'acte meurtrier, le délire, l'hallucination, la folie. Pour être imaginaire, le fantasme est une structure qui n'en est pas moins absolument nécessaire au sujet.

Dernier étage de la marelle. A droite, le sigle de la *castration* : $ \diamond $ D. $, encore, encore le poinçon, et un D majuscule qui signifie la Demande, mais cette fois, dans toute son ampleur, presque allégorique. On ne comprendra cette étrange formule qu'en se reportant à son homologue de l'étage inférieur : A, le lieu de l'autre, que Lacan affuble alors d'une nouvelle attribution, la pulsion. La castration est donc de l'ordre du lieu. Elle se situe, si l'on peut dire, sur le côté « désir » du graphe, le côté droit, où se retrouvent situés le lieu de l'Autre, le désir, et la demande : bien sûr, on ne peut adresser ses désirs, ses demandes, qu'à l'Autre. Mais c'est un rapport impossible : il y a donc poinçon. Il n'y a pas de rapport sexuel. La castration signifie que la Demande n'est pas exaucée : on le savait, cette fois c'est *formulé*.

Reste, à gauche, l'« algorithme » de la jouissance : $S(A)$. Signifiant d'un manque dans l'Autre. (L'amour, c'est donner ce qu'on n'a pas...) La jouissance est du côté des signifiants. (Car, s'il y a un côté « droit » du graphe, où tous les sigles appartiennent au registre de la pulsion, il y a un côté « gauche » où tout est signifiant.) Ce signifiant de la jouissance existe ; il est bel et bien le phallus — non pas le pénis, mais ce que sa forme érigée symbolise, « *l'organe érectile* [qui] *vient symboliser la place de la jouissance, non pas en tant que lui-même, ni même en tant qu'image, mais en tant que partie manquante à l'image désirée* [37] ». Aussi bien, puisqu'il est le signifiant d'un manque, le phallus est-il formé, lui, comme analogue à $\sqrt{-1}$. Nombre imaginaire, fondateur de la totalité des nombres négatifs. Une sorte de cogito à l'envers, un « *cogito phallique* » inénarrable — au sens propre du terme : car le sujet, qui peut à la rigueur prouver que l'Autre existe, ne peut pas se prouver lui-même, et ne peut donc, du phallus, rien savoir.

Mais, sans ce signifiant générique du négatif, et « impossible à négativer » lui-même, n'existera aucun autre signifiant. C'est de là que vient sa force fondatrice. Phallocratique serait vraiment trop peu dire, puisque le « phallus », l'envers triomphant du petit pénis flasque, est le fondement culturel du langage. Et de la Vierge-Mère : la mère n'a pas de pénis, elle est douée de manque, elle viendra donc symboliser le phallus, pour le peuple des hommes. Quant aux femmes, elles continueront à la boucler.

Pffft ! Envolez-vous, pages tout étourdies de tant d'astuce et de complexité... Il fallait ce détour pour saisir jusqu'où Lacan a pu pousser la passion de la pédagogie. Formuler pour transmettre. Fonder un enseignement si solidement verrouillé que nul ne pourra le mettre en doute. Retrouver le désir fondateur de Freud, et se faire le gardien de tables légiférantes. Être un prescripteur d'idées, et rejoindre par là l'une des fonctions de l'enseignement — l'une des plus traditionnelles, peut-être l'une des plus contestées. Mais tout cela justement n'est *que* de l'enseignement. Aux temps où il découvrait, Lacan ne formulait pas de graphes ; si l'on peut comprendre comment la contagion structuraliste — et l'exemple de son ami Lévi-Strauss — a pu lui donner à croire que, sans formalisation, il n'existait pas de théorie, on pourra se demander si tous ces appareillages, toutes ces équations, ne sont pas les cache-misère d'une pensée à bout d'elle-même.

Il n'avait pourtant nul besoin de cet amusement formel, drôle à parcourir si l'on a le goût du jeu, mais décevant lorsqu'on y cherche un système théorique que l'on ne trouvera pas là. Dans les pages suivantes, en se jouant, Lacan en dira bien davantage sans le moindre secours d'un graphe. Et l'histoire de Socrate et d'Alcibiade nous en donne bien plus à comprendre que l'ouvre-bouteille, car Lacan s'entend mieux au rythme du mythe qu'aux mathématiques. On ne peut pas tout faire.

Alcibiade aimait Socrate, nous dit Platon ; mais Socrate ne voulait rien savoir de cet amour. Un soir, ils couchèrent côte à côte, et Alcibiade attendit, sûr que sa séduction agirait sur ce vilain bonhomme, qui serait trop heureux d'être dans les bras du plus bel homme d'Athènes. Or, point du tout ; Socrate se tint tranquille. Il ne se passa rien. Plus tard, au cours d'un banquet d'hommes où l'on cherchait à définir l'amour, Alcibiade saisira l'occasion pour rappeler cet épisode, et comparer Socrate à ces petites figurines de Silènes qui ne sont pas belles à l'extérieur, mais qui renferment une figure d'or, *agalma*, en grec. « *Inclus dans l'objet a, c'est l'αγαλμα, le trésor inestimable qu'Alcibiade proclame être enfermé dans la boîte rustique qui lui forme la figure de Socrate. Mais observons que c'est affecté du signe (–). C'est parce qu'il n'a pas vu la queue de Socrate, on nous permettra de le dire après Platon qui ne nous ménage pas les détails, qu'Alcibiade le séducteur exalte en lui l'αγαλμα, la merveille qu'il eût voulu que Socrate lui cédât en avouant son désir : la division du sujet qu'il porte en lui-même s'avouant avec éclat de cette occasion* [38]. »

L'histoire ne s'arrête pas là. Alcibiade, au cours du banquet — c'est vers la fin de la nuit, l'aube n'est plus très lointaine —, invente donc la fable du Silène. Mais ce n'est plus Socrate qu'il convoite ce jour-là ; c'est un autre,

Agathon. « *C'est ainsi qu'à montrer son objet comme châtré, Alcibiade parade comme désirant — la chose n'échappe pas à Socrate — pour un autre présent parmi les assistants, Agathon, que Socrate, précurseur de l'analyse, et aussi bien, sûr de son affaire en ce beau monde, n'hésite pas à nommer comme objet du transfert, mettant au jour d'une interprétation le fait que beaucoup d'analystes ignorent encore : que l'effet amour-haine dans la situation psychanalytique se trouve au-dehors*[39]. » Autre version du même phénomène. Toujours dans le registre préféré de Lacan, les choses de l'amour. Si une femme porte un postiche de phallus, elle n'en sera que plus désirable. « *Telle est la femme derrière son voile : c'est l'absence de pénis qui la fait phallus, objet du désir*[40]. » Une femme est objet de désir si elle porte un pénis factice, qu'elle n'a pas ; un homme — Socrate — est objet du désir si on le décrit privé du pénis, qu'il a. Les deux remplissent l'office du phallus.

« *Il n'en reste pas moins,* conclut Lacan, *qu'Alcibiade a projeté Socrate dans l'idéal du Maître parfait, qu'il l'a complètement, par l'action de (– φ) imaginarisé*[41]. » (– φ) : le phallus manquant, qui se transforme en Phallus triomphant.

Socrate, à la fin du banquet, quand tout le monde se fut endormi, secoua la poussière de ses sandales, et sortit, seul, à la lumière du jour. Et Lacan décida de dissoudre son École.

7. *Du phallus au mathème*

L'ouvre-bouteille, « clef universelle » et dérisoire, n'avait rien d'une démarche scientifique. Mais Lacan ne devait pas s'en tenir là : la suite, c'était cette « *voie des mathèmes* » où, au moment de la dissolution de l'École freudienne, il disait lui-même vouloir « s'obstiner » encore. Dans la lettre de dissolution, il en donnait les vraies raisons[42]. « *L'obstination dans la voie des mathèmes* » faisait suite à une violente critique des religions. Pas seulement la religion chrétienne — d'ailleurs non mentionnée sous ce vocable —, mais toute institution produisant des « *effets de groupe consolidé* » aux dépens de l'effet de discours attendu de l'expérience. « *On sait ce qu'il en a coûté, que Freud ait permis que le groupe psychanalytique l'emporte sur le discours, devienne Église.* »

Premier point : la psychanalyse est devenue corps constitué. On se doute que va revenir, allusive mais bien présente, l'excommunication. La voici : « *L'Internationale, puisque c'est son nom, se réduit au symptôme qu'elle est de ce que Freud en attendait. Mais ce n'est pas elle qui fait poids. C'est l'Église, la vraie, qui soutient le marxisme de ce qu'il lui redonne sang nouveau... d'un sens renouvelé. Pourquoi pas la psychanalyse, quand elle vire au sens ?* » Toutes les religions, disais-je : il y aura religion dès qu'un groupe s'accroche à un sens, qu'il soit sens divin ou sens humain, qu'il se donne comme finalité dernière un monde meilleur sous forme de Paradis, ou sous forme de communauté sans exploitation de l'homme par l'homme. L'essentiel restait bien la question du sens ; dès qu'il sut que s'annonçait son éviction — son évitement —, Lacan commença à combattre la notion de sens : c'était un combat anticlérical. Il n'était pas dissociable des pratiques de la ponctuation : les séances « courtes » (variables) donnaient « sens » au discours du patient par l'arrêt imprévisible ; le sens devenait le produit de la décision du psychanalyste. Lutter contre la domination philosophique de la notion de « sens », c'était donc pour Lacan à la fois défendre l'analyse, et sa peau d'analyste. « *Je ne dis pas cela pour un vain persiflage* », dit-il encore, toujours au moment de la dissolution, « *la stabilité de la religion vient de ce que le sens est toujours religieux*[43]. » On comprend que Lacan, luttant pour sa propre réhabilitation, soit devenu successivement le pourfendeur des eschatologies du sens, le militant du signifiant, qui annulait le sens, l'avocat du scientisme de Freud, et pour finir, le défenseur du « mathème ».

Le « mathème » était une idée cohérente. Le terme

reprend à la racine le mot « mathématiques », et retourne à l'élémentaire du verbe grec « *manthanein* », apprendre, dont il est dérivé. Mathème, c'est connaissance, étude, d'abord. C'est ensuite, tel que le conçoit Lacan, au moins dans le projet, la mise en relation logique de la division fondamentale du sujet, cette même « Spaltung » qui fut le dernier mot de Freud. On pourrait dire que toute l'entreprise des « mathèmes » tend à développer cette phrase énigmatique de Lacan : « *Division du sujet ? Ce point est un nœud*[44]. »

La division du sujet fut introduite par Freud à propos du manque de pénis de la mère, devant le regard de l'enfant ; c'est un manque qui révèle le « phallus ». Pas-de-pénis = Phallus. De là à explorer la théorie des nœuds, il n'y a qu'un pas ; le jeu de mots était tentant[45]. Ce fut tôt fait avec l'utilisation des multiples structures qui, dans la topologie, ont toutes en commun d'être sans endroit ni envers, sans extérieur ni intérieur, et de dépendre d'un « trou » ($\sqrt{-1}$) qui les délimite : tore, bande de Moebius, etc.

Ce fut parfait, enfin, avec l'usage des nœuds borroméens, « ronds de ficelle » enchaînés les uns aux autres, et qui posent un problème tout bête : comment faire pour que les ronds soient libres, en coupant l'un seulement d'entre eux, et lequel faut-il couper ? Cette passionnante question pour marins, pour enfants, et pour lacaniens fidèles, disait en sourdine une insistante chanson. Une chanson qui n'était pas seulement le Phallus, la femme et la vérité, comme le disait Lacan, mais aussi — il le disait lui-même — la fonction de l'UN.

« *Y a d'l'Un* », avait-il dit. Que cherchait-il obstinément, à ce moment de sa vie où le succès l'écrasait de toutes parts ? Un rond de ficelle qui, coupé, libère tous les autres... Un élément libérateur, mais qui n'est là — petite incise au passage — dit-il, « *que pour représenter la solitude*[46]. »

Ce n'était pas suffisant. Il lui fallait autre chose, qui permette de faire comprendre les rapports entre *l'Autre* et *l'Un*, comme s'il revenait, par la bande — on me passera le jeu des mots —, à un sujet unique, trop longtemps délaissé. A lui-même, en quelque sorte.

A lui-même, enfin, et toujours. Ce qui se ruminait dans les nœuds borroméens, dont il parlait déjà vers 1972, se vérifia au moment de la dissolution de l'École. *« Qu'il suffise d'un qui s'en aille pour que tous soient libres, c'est, dans mon nœud borroméen, vrai de chacun, il faut que ce soit moi dans mon École*[47]. *»*

Ainsi donc, la recherche théorique de Lacan autour de l'Un, niché dans le signifiant et donc dans le phallus, tendait à le transformer en celui qui occuperait la fonction libératoire et dissolutive. L'acte de la dissolution suivait rigoureusement la démarche théorique, qui s'était tenue, depuis 1964, au plus près de la *division*, de la *scission*. Et que l'on regarde l'évolution théorique de Lacan d'un œil lointain, et non plus en aveugle, le nez collé aux graphes comme le chien à la truffe, on y trouvera une véritable théorie de l'*exclusion*. La sienne. Oui, il avait fondé une théorie de l'exclusion du sujet à partir du jour où lui-même s'était trouvé exclu. Oui, il avait réussi à formaliser sa vie, à la transformer en preuve. *« Le sujet*, a-t-il un jour dit, *est en exclusion interne à son objet*[48] *»* : c'était, bien sûr, authentifiée par les directives freudiennes, une quête générale et abstraite. Mais c'était aussi, « passions de l'être » et amours déçues, le reflet à peine voilé de l'histoire de Jacques Lacan, qui, pour être l'Autre enfin, décida un jour de janvier 1980 d'*être* l'Un, rond de ficelle qui libérerait tous les autres. Il se transformait en preuve vivante de ses délires mathématiques. *Il devenait le mathème, le signifiant, le phallus, le manque : il s'excluait lui-même.*

Mais, comme il n'était pas la moitié d'une bête, il le savait bien, lui qui disait huit jours plus tard : *« On peut se contenter d'être Autre comme tout le monde, après une vie passée à vouloir l'être malgré la Loi*[49]. *»*

Malgré la Loi : le chemin venait de loin. L'expression rassemblait, en janvier 1980, toutes les étapes de son destin. *Dans une introduction aux Mémoires du président Schreber*[50], que l'on traduisait pour la première fois en France, il avait déjà amorcé — c'était en 1966 — l'esquisse de cette rétrospective ; il y remarquait que sa thèse amorçait, avec l'idée d'une « *connaissance paranoïaque* », la réflexion sur la forclusion. (Il y dégageait aussi une loi de retard valable pour chacun de ses écrits : sa thèse fut lue dix ans plus tard, son engagement dans l'enseignement psychanalytique ne produisit ses effets publics que dix ans après ses commencements.). Et il achevait l'anamnèse en débouchant sur l'inévitable mathématique, seule capable d'analyser les résidus, les divisions, et sans doute aussi les retards. De la thèse à la dissolution, c'est bien la même voie.

On peut pousser plus loin la réflexion de Lacan : *malgré la Loi*, Aimée, Christine et Léa tuèrent ou tentèrent de tuer. *Malgré la Loi*, Lacan résista à l'offensive du groupe psychanalytique. *Malgré la Loi*, il fonda une École. *Malgré la Loi*, il dit et répéta que la jouissance existe, parce qu'elle se joue contre la Loi. *Malgré la Loi* enfin, celle-là même qu'il avait promulguée en fondant l'École freudienne, il dissout. *Malgré la Loi*, il s'autorise un acte contraire à la législation sur les associations. *Malgré la Loi*, il était Autre, pas comme tout le monde. Être Autre comme tout le monde, voilà qui méritait bien d'être rêvé. Tout comme ce merveilleux rêve qu'il relate, au début de l'une des séances de son séminaire de 1973 : « *J'ai rêvé cette nuit que, quand je venais ici, il n'y avait personne*[51]. »

Ô mânes de la bouchère hystérique, protégez votre enfant contre les désirs insatisfaits...

C'est pourtant là que je me suis arrêtée. Dans ces années où Lacan commençait à se servir des nœuds borroméens. On pourra toujours supposer que ces nœuds me bloquaient quelque part ; je l'ai moi-même pensé, sans qu'aucun tressaillement intime vienne apporter la confirmation de l'hypothèse. Chaque année, vers le mois de décembre, je tentais à nouveau l'expérience, et retournais pour une unique séance

186

au Séminaire. Lacan, tourné vers le tableau noir, contemplait les nœuds. Interminable. La parole se faisait encore plus rare qu'avant, sourde, comme si elle se refusait à se faire entendre. Dans le même temps, je commençai pour mon propre compte une analyse. Dès lors, l'amour tourna la tête, et changea de sujet. Il n'y avait rien à faire, et Lacan lui-même en avait donné les raisons. Je fis alors une expérience étrange : les textes de Lacan, seuls, sans le secours de l'enseignement parlé, devenaient des blocs opaques et me résistaient de toutes parts. Je n'investis plus rien ni dans les joujoux mathématiques ni dans l'entreprise elle-même : elle n'avait tenu, subjectivement, qu'à cette voix rare et forte qui savait si bien se faire entendre. Et le commencement de la voix analytique — la mienne, se disant jour après jour — venait prendre la place si longtemps occupée par la voix des écoles. Il fallait bien, un jour, cesser d'être écolière.

8. Odor di femmina, ou Don Juan analyste

Confusément, par-delà la sophistication croissante des démonstrations, je ressentais en Lacan deux passions contradictoires. La première, c'était le scientisme dont il avait fait l'éloge à propos de Freud : l'avertissement disait clairement qu'il s'y engageait tout entier. En effet il le fit, et se servit de l'idée de science comme d'un mythe ; il n'était d'ailleurs pas le seul à cette époque. Althusser, quand il cherchait en Marx la coupure entre science et idéologie, jouait aussi avec le fantasme d'une science que l'on pourrait dégager de l'emprise des mentalités. Et, si Lévi-Strauss pour sa part tentait un usage rigoureux de la notion de structure, pour Lacan elle était une image, une belle image pleine, une allégorie scientifique. Dans la revue *Scilicet*, parurent alors des textes vertigineux de boursouflure ; il devenait impossible de continuer à participer de cette imposture. Sous une plume anonyme — c'était la règle de la revue — parurent des autocritiques qui s'accusaient d'avoir utilisé la topologie sans la dialectique matérialiste, deux méthodes « identiques ». Ce n'était pas Lacan, mais un quelconque de ses disciples, qui, tout en affirmant élégamment que *« cette idée restait à démontrer dans le détail »*, en profitait pour attaquer les vilains révisionnistes qui n'avaient pas su effectuer cette conjonction[52]. Sur des pages et des pages se développaient les gloses topologiques et les petits cours de mathématiques. Oui, c'était le scientisme, plus florissant que jamais, et porteur d'un irrationalisme profond qui décourageait la pensée. Cette passion, chez Lacan, était celle de l'enseignant.

L'autre, c'était la sienne propre, celle que j'aimais vraiment. C'était la passion de l'amour, qu'il cherchait encore à élucider. L'idée fixe réapparut dans le discours de la dissolution, où surnagent, comme des mâts après un naufrage, les vraies vérités auxquelles tenait Lacan. La femme, le phallus, la jouissance. Le phallus, ni fantasme, ni objet partiel, mais signifiant pour tous les signifiés. L'affaire le hantait toujours. Elle préoccupait d'ailleurs ceux qui avaient, à fort juste titre, décelé en Lacan la *« vieille et énorme racine »* d'une constellation langagière que Jacques Derrida avait appelée du vocable complexe de *« phallogocentrisme »* : au centre du langage et de l'univers se trouvent, conjoints dans le même pouvoir, le phallus, le Logos, la Voix[53]. Et après seulement, la femme, l'écriture, le refoulé de l'histoire. Cela ne risquait pas d'être faux : mais Lacan ne le disait-il pas lui-même ? Il prit le soin, en janvier 1980, dans ces paroles testamentaires, de préciser les choses : les femmes ont accès, disait-il, à la jouissance phallique (chic !), mais sous condition *« de ne pas s'étourdir d'une nature antiphallique dont il n'y a pas trace dans l'inconscient[54] »*. Dont acte : pour sortir du phallus, il faut changer de monde, et, comme Lacan a toujours affirmé détester et le progrès et les réformateurs, il ne faut pas s'étonner qu'il s'en tienne, là comme ailleurs, à la quête obstinée du monde tel qu'il est, et non tel qu'il devrait être dans les rêves réformistes et révolutionnaires. Le « *révolutionnaire de la pensée, l'homme de la vérité* », s'il peut être agitateur politique, n'a rien à voir avec un philosophe utopique. La porte est close, la porte des mondes autres que des femmes, vers 1970, commencèrent à imaginer tels qu'elles les voulaient. Et c'est sans doute sur cette porte que se refermera l'histoire de Jacques Lacan.

Jacques Derrida appuyait sa critique, fort violente, du « phallogocentrisme » de Lacan sur une analyse minutieuse et impitoyable d'un commentaire d'une nouvelle d'Edgar Poe : *La Lettre volée*. Lacan tenait tant à ce texte de 1956 qu'il en fit le premier des *Écrits*, qui, pour l'ensemble, suivent une chronologie rigoureuse. Il en va de ce commentaire comme de certains commentaires philosophiques : ils deviennent plus notoires que le texte commenté. La nouvelle d'Edgar Poe n'est pas, et de loin, la meilleure des *Histoires extraordinaires*. Mais le texte de Lacan la transforme en un mythe admirable : la vérité, la femme, la castration s'y dévoilent en toute clarté.

Une affaire « *simple* » et « *bizarre* », nous prévient le préfet de police qui confie l'affaire à Dupin, détective plutôt philosophique. Dans les appartements royaux — chez la Reine — une lettre a été volée. C'est une lettre « *de la plus haute importance* ». On connaît le voleur : c'est D., le ministre ; il profita d'une situation où la Reine, surprise par son royal époux au moment où elle lisait la fameuse lettre, dut l'abandonner sur une table, sans avoir le temps de la cacher. D., qui survint alors, vit la lettre, remarqua le trouble de sa souveraine, et vola l'objet, en tirant de sa poche une enveloppe à peu près identique à l'autre qu'il substitua à la première.

La Reine sait donc que c'est le ministre qui a volé la lettre, et le ministre, lui, sait que la Reine sait qu'il est le voleur. Mais où a-t-il caché la lettre volée ? Le préfet a fouillé la maison du ministre de fond en comble : les parquets, les tapis, les papiers des murs, les caves, ont été passés au peigne fin. Dupin trouve la lettre par déduction : le ministre était un habitué de la police et des perquisitions, il ne pouvait avoir « caché » la lettre dans une cachette vulgaire. Il l'avait mise dans un misérable porte-cartes, suspendu par un ruban crasseux à un bouton de cuivre ; elle était déchirée à demi, négligée — alors que le ministre avait la réputation justifiée d'être un homme d'ordre. Elle était visible aux yeux de tous. C'était la meilleure des cachettes : l'évidence masquait la lettre volée et la rendait, en fait, invisible. Sauf pour Dupin, qui reprit la lettre, non sans avoir substitué à son tour une feuille à une autre.

La fable d'Edgar Poe insiste sur un fait qui ne pouvait laisser Lacan indifférent : le ministre était poète, fou, et mathématicien, auteur d'un livre sur le calcul différentiel et intégral. Cette conjonction rêvée suscita Lacan aux points où il était sensible : l'inspiration, la folie, le mathème. Et c'est du point de vue du ministre qu'il analyse *La Lettre volée*, fasciné, dans le ministre voleur, par l'homme, et par son rapport à la femme. Pas n'importe quelle femme : la Reine. L'histoire change d'allure ; elle devient une *possession*. Le ministre, en dérobant la lettre adressée à la Reine, possède le signe de la femme ; il en est lui-même possédé, il est « en sa possession ». Le voilà qui se met, pour cacher la lettre, à utiliser des stratégies analogues aux leurres mimétiques des animaux, qui font le mort, pour éviter d'être pris : stratégie que Lacan désigne sous le nom de « *politique de l'autruiche* [55] ». Une autruche, qui se met la tête sous le sable en croyant n'être pas regardée parce qu'elle ne voit pas, mais une autruche dépendante de l'autrui qui la regarde : une autruiche. Et la dépendance est totale ; le ministre est en possession de la lettre, mais au point qu'il n'en fait rien, rien d'autre que la mettre en évidence pour la mieux cacher.

Et le ministre devient femme. Il exhale l'« odor di femmina » la plus manifeste. Il retourne l'enveloppe comme on fait d'une peau de lapin, et écrit — ou fait écrire — son adresse à la place de celle de la Reine : l'écriture, dans tous les cas, est « féminine » et fine. Voilà donc un ministre qui s'écrit à lui-même une lettre de femme — quel que soit le contenu réel de la lettre dérobée. « *... la lettre volée, comme un immense corps de femme, s'étale dans l'espace du cabinet du ministre, quand y entre Dupin. Mais telle déjà il s'attend à la trouver, et il n'a plus, de ses yeux voilés de vertes lunettes, qu'à déshabiller ce grand corps* [56]. » Le ministre a été châtré par un Dupin qui occupe une place analogue à celle du psychanalyste. En position tierce, il voit les leurres de celui qui croit ne pas être vu, et il se montre, comme l'autruche, le derrière en l'air. Il aura donc reçu son propre message — le vol de la lettre — sous une forme inversée — le vol de la lettre par un Dupin qui lui fait bien savoir qui l'a volée, en écrivant deux vers de Crébillon sur la feuille substituée en dernière instance. C'est là le modèle de toute communication : l'émetteur reçoit du récepteur son propre message sous une forme inversée.

Mais, chose tout à fait « simple » et « bizarre », Lacan choisit de placer cette analyse en exergue des *Écrits*, et s'en explique : « *Ce "vol de la lettre", on le dira la parodie de notre discours.* » Parodie en un double sens : au sens étymologique, « par-odos », ce qui va à côté de, qui accompagne ; et au sens commun, et l'effet de dérision conjure « *l'ombre du maître à penser* ». Louable souci ; mais, si la lettre volée représente le cheminement de Lacan, est-il en position de Reine, de ministre ou de Dupin ? Les trois sans doute : hanté par la Reine comme le fut le ministre, et trop identifié à ce poète fou et mathématicien pour ne pas sentir, lui aussi, la femme ; mais psychanalyste, donc, flic à énigmes, capable de se renvoyer à lui-même son propre message sous une forme bouclée. Un message qui n'a jamais changé ; je laisse Jacques Derrida l'énoncer : « *Ce lieu propre, connu de Dupin, comme du psychanalyste [...] c'est le lieu de la castration : la femme en tant que lieu dévoilé du manque de pénis, en tant que vérité du phallus, c'est-à-dire de la castration* [57]. » Le chemin des dames ne l'aura jamais trompé.

Il réédita le coup de l'odeur femme, en vrai Don Juan qui sait que le catalogue de Leporello est interminable parce que « la femme », qui n'est « pas toute », est aussi éternellement l'une-en-Moins[58]. Et cette fois, c'est à Michel Foucault qu'il fit le coup, quand ce dernier se livra à un beau commentaire du tableau de Vélasquez, *Les Ménines*, en prologue à son livre de 1966, *Les Mots et les Choses*. Foucault interprétait le tableau de Vélasquez comme l'aurore de l'ère de la représentation. La petite infante entourée de ses suivantes se pose là, devant un tableau que l'on voit « de dos » ; Vélasquez lui-même se tient en arrière, de face, le pinceau à la main ; un homme sort par une porte, et, au fond de la pièce, on aperçoit dans un miroir le reflet du couple royal. C'est le sujet du tableau, et Vélasquez, peintre de cour, s'affaire à le représenter. Le couple royal est donc bien (version Foucault) l'enjeu d'une double représentation : celle que nous ne voyons pas, sur le tableau dont nous ne voyons que le cadre ; et celle que nous apercevons, floue, dans le miroir. Modèle de toute représentation classique, conclut Foucault ; le sujet représenté a disparu. « *Et libre enfin de ce rapport qui l'enchaînait, la représentation peut se donner comme pure représentation.* »

Lacan s'enthousiasme d'abord pour ce chapitre admirable, et qui l'est en effet. Mais vite il commence à parler d'autre chose, et commente à son tour *Les Ménines*. Guidé, comme toujours, par l'« odor di femmina ». Au centre géométrique du tableau, ce n'est pas le Roi, ce n'est pas la Reine que l'on trouve. Mais, caché sous l'immense vertugadin, le sexe de la petite infante. Vélasquez, l'homme en retrait dans ce gynécée où, hormis les femmes, ne se trouvent représentés que des chiens et des monstres, Vélasquez démiurge a tout organisé autour de ce sexe impubère et secret. Et *Les Ménines*, dont l'étrangeté a suscité la reprise par Picasso, suscitent chez le spectateur qui le regarde une question : « Fais voir. » Fais voir l'envers du tableau ; fais voir le dessous des choses, le dessous du vertugadin... « *Du regard*, dit Lacan, *ça s'étale au pinceau sur la toile, pour faire mettre bas le vôtre devant l'œuvre du peintre[59].* »

Le tableau, étonnant piège à regards : « *Fais voir* », dit le spectateur au peintre, mais le peintre répond : « *Tu veux regarder, eh bien, vois donc ça !* » Et « ça », c'est encore du regard. Comme il fait la chasse au sens, Lacan fait la chasse au contenu ; et rien ne lui semble plus exemplaire que l'anamorphose qui surgit, comme distraite, au pied des deux ambassadeurs de Holbein, qui semblent s'en moquer dignement. On sait que cette forme distordue est l'anamorphose d'une tête de mort, que l'on peut voir en regardant le tableau de biais, sous un certain angle. Une tête de mort : quoi de plus symbolique du « sujet néantisé » ? Si la petite infante cache un sexe d'enfant sous sa robe, les ambassadeurs montrent dédaigneusement « *l'apparition du fantôme phallique* », à leurs pieds[60].

9. *La ravissante*

Les formules mathématiques et la topologie ne l'avaient pas éloigné du chemin des femmes. A travers phallus, racines de (-1), losanges, boucles, volute et anneaux, à travers équations et nombres imaginaires, se retrouvaient les fantômes familiers des folles, des figures aimées, des hystériques et des démesurées. Marguerite Duras écrivit un roman, *Le Ravissement de Lol. V. Stein*. Lacan prit la plume pour lui rendre hommage : il ne le faisait pas souvent[61]. Mais tout le fascinait dans cette affaire : l'auteur, une Marguerite comme cette Marguerite d'Angoulême à qui il la compare, le personnage, Lol., qu'on dirait écrit exprès pour lui. Le regard, centre de l'intrigue ; et la folie qui la termine. C'était un retour aux femmes folles ; mais à dire vrai, il ne les avait jamais vraiment quittées.

Lol. V. Stein s'appelait, à sa naissance, Lola Valérie Stein, dans une petite ville commune quelque part dans la vaste Amérique. Elle était fiancée ; le soir où l'on fêtait ses fiançailles, l'homme qu'elle aimait partit, sous ses yeux, après une danse amoureuse, avec une femme vêtue de noir. Scène primitive : le regard fixé sur ce couple qui lui volait sa vie, la petite Lola resta muette longtemps. Elle s'appela désormais Lol. V., comme s'il lui fallait amputer aussi son propre nom. Puis tout passa, en apparence ; elle se maria, elle fut sage ; mais le feu de la folie couvait sous la cendre familiale. Un jour, elle rencontre une amie d'enfance, Tatiana, une amie aux cheveux noirs. Et se prend d'une étrange passion : regarder son amie avec un autre homme, Jacques Hold, partagé entre les deux femmes. L'une, qu'il baise, et l'autre, qui les regarde. Lol. ne trouve le repos qu'en s'étendant dans un champ, pendant que, à la lisière du champ, Tatiana et Jacques font l'amour, visibles dans la lumière d'une fenêtre éclairée. Ils savent. Lol. dort, là-bas, blonde dans les seigles. Lorsque Jacques Hold veut forcer le jeu et rejoindre Lol. dans le réel, elle devient folle, à l'endroit même où, des années plus tôt, un couple lui avait volé sa raison.

Lol. était « ravie ». Ravie à elle-même, centre de tous les regards, piège à regards, tableau. Oui, elle avait été le centre des regards au moment de son abandon public. Maintenant, elle organisait le couple, et regardait elle-même. Lacan s'enchante ; il retrouve là l'essentiel de la « pulsion scopique », cette pulsion qui trouve l'objet du désir dans le regard lui-même. Objet-petit-a, le regard sort du corps, déchet, comme le regard de Béatrice. C'est une « *voyure* » à l'odeur sauvage, qu'Actéon avait subie en désirant regarder la déesse, Actéon, symbole du psychanalyste, « trop » attaché à regarder la chose interdite. Regarder n'est pas innocent. Regarder un couple fait partie d'un désir. Mais plus encore, « *le point de regard participe de l'ambiguïté du joyau*[62] » : la chose regardée est une tache aveugle, qui brille au soleil.

Un jour, dans un bateau, en Bretagne, Lacan pêchait. Il y avait là un pêcheur du nom de Petit-Jean. Il adorait une plaisanterie qu'il trouvait très drôle. Lorsqu'on voyait au loin une petite boîte de sardines qui luisait à la surface des vagues, Petit-Jean disait à Jacques-Marie Lacan, alors âgé de vingt ans : *« Tu vois, cette boîte ? Tu la vois ? Eh bien, elle te voit pas*[63] *! »*

Lacan, naturellement, ne trouvait pas cela drôle. En bon analyste qu'il serait plus tard, et témoignant d'un fort tempérament interprétatif, il réfléchissait à cette drôlerie. La boîte qui étincelait « me regarde », comme tout ce qui est lumière. Elle faisait tache ; elle faisait écran ; elle regardait Lacan. Qui se rendit compte alors que lui, Lacan, faisait tache aussi dans ce bateau de pêcheur, lui, l'intellectuel en vacances. Petit-Jean avait mis le doigt sur la tache aveugle. Tout regard est de cette nature : il désigne, et il désigne celui qui regarde. Lol., en contraignant Jacques et Tatiana à être regardés, les obligeait à la regarder : ils ne pouvaient jamais plus l'oublier. Elle était la boîte de sardines ; elle ne les « voyait » pas, mais leur amour dépendait de son regard. Retour à la lettre volée, autre boîte de sardines innocemment exposée au regard le plus évident ; retour à la lettre volée, et à la femme qui s'y cache, comme dans un champ de seigle. Lol., dit Lacan, est *« dérobée »* : dérobée à elle-même au moment du bal. Elle ne peut se retrouver que dans les deux autres conjoints. Mais lorsqu'elle rejoint sa question, Lol.-réponse sombre dans la folie : la bonne distance, c'était celle du champ de seigle à l'hôtel de passe, celle d'un regard absent. Lol. ne pouvait pas être touchée par l'amour autrement qu'à distance.

« N'est-ce pas assez pour que nous reconnaissions ce qui est arrivé à Lol. et qui révèle ce qu'il en est de l'amour, soit de cette image, image de soi dont l'autre vous revêt et qui vous habille, et qui vous laisse quand vous en êtes dérobée, quoi être sous[64] *? »* Plus rien. Lol. ne pouvait pas être nue : seule Tatiana pouvait l'être, *« nue, nue sous ses cheveux noirs »*, disait Lol. à Jacques Hold. L'amour, encore et toujours, que Marguerite Duras écrit selon le cœur de Lacan, comme *« les noces taciturnes de la vie vide*

avec l'objet indescriptible ». Il n'est d'amour que courtois ; il n'est d'amour que « noble », loin du rapport sexuel. Faut-il le redire encore ? Il n'est d'amour, pour Lacan, que dans la distance la plus nue.

D'un côté, la science, le jeu, la vérité, les mathèmes, et leur voie obstinée ; de l'autre, la passion de l'amour, la folie inspirée, le regard qui regarde sans voir, et se piège lui-même en piégeant l'autre. D'un côté, le savant fondateur, de l'autre, le poète. D'un côté, le fou, de l'autre le mathématicien : Lacan ressemblait décidément beaucoup au ministre de *La Lettre volée*. Mais nul Dupin ne put jamais lui dérober la lettre ; il se l'était à lui-même ravie.

L'OISEAU DE FEU

1981 : il fait nuit. Traînant sur la table où j'écris, se trouve encore, objet à l'abandon, le numéro du magazine où Lacan déchaîné ouvre une bouche d'ombre. Dehors, le bruit des rues envahit l'espace ; les gens rentrent chez eux. Les gens, sujets barrés, $ en division interne à leur objet, les gens vont, la nuit enfin tombée, se livrer à la confrontation de leur signifiant maître, $\sqrt{-1}$, avec l'impossible objet-petit-a dont ils ne savent pas l'existence... Les gens, les uns avec leur I, les autres avec leur I (A), partagés entre leurs bonnes et leurs mauvaises images, surveillés aveuglément par leur A qui leur fait les gros yeux, et fronce le sourcil chaque fois qu'ils dérivent hors du droit chemin, les gens, qui ont faim sans savoir que D ne peut rejoindre $ et qu'ils se foutent le doigt dans l'œil, $\sqrt{-1}$ dans a, s'ils s'imaginent, si seulement ils s'imaginent... Derrière cette fenêtre éclairée, un enfant peut-être se dresse sur ses pattes de derrière, et se rit à lui-même. La ronde des signes s'estompe dans le brouillard ; un petit fifre fellinien sonne aigrement. Ma fille vient de rentrer ; c'est l'heure des jeux télévisés. Elle attrape le journal, la tête de Lacan et les jette, sans y penser, à la poubelle.

1981 : il fait nuit. La France est vieille, endormie dans une torpeur pleine de révoltes qui ne parviennent pas encore à se dire. Lacan a vieilli, lui aussi, selon la loi biologique de son âge. Rien ne l'a plus fait dériver de son chemin de mathèmes ; rien, ni le dépérissement d'une République qui se laisse transformer en monarchie larvée, ni les excès d'un pouvoir corrompu, ni les bouleversements de l'islam, ni ceux de l'Asie du Sud-Est, nos plaies de pensée. Il est comme s'il en avait vu tant d'autres que rien ne saurait plus l'émouvoir ; et sans doute pas même la dissolution de son École, l'un de ses derniers éclats. Absent, il regardait s'agiter son petit peuple, se diviser ses fidèles ; absent, il les soutenait d'un appui formel et lointain, absent, il voyait défiler, dans la salle de la Maison de la Chimie, ceux qui le saluaient avec déférence, et à qui il ne répondait plus. Une absence qui n'avait rien d'un mépris, rien d'une hauteur gaullienne. Simplement, il n'était plus là, comme Lol. V. Stein. Quel rapprochement soudain aurait pu le faire tressaillir, quelle proximité l'aurait ému ? La distance était devenue son monde. Il ne parlait plus que par énigmes, et s'était enfermé dans le silence. Autour de lui, l'agitation était extrême, les luttes intestines, violentes. Mais personne ne le contestait vraiment. Tous sentaient bien que c'était devenu inutile. Il était devenu, aussi, sa propre statue tombale ; il entrait dans l'éternité, à petits pas de vieillard. Il n'y avait là rien de ridicule, rien d'attendrissant. Même ainsi, il gardait une espèce de grandeur qui ne l'a jamais quitté.

Il avait assez parlé de la mort pour qu'on puisse penser qu'il n'y songeait peut-être plus. La mort, qui revenait de temps à autre, sous la figure hégélienne du Maître absolu, à laquelle il se référait souvent ; sous la figure du convive de pierre, lié au désir, qui l'annonce en ne trouvant jamais son objet. La mort, « *avec ses yeux de bitume*[1] ». La mort, qui fait partie du travail de l'analyste. « *C'est donc bien là que l'analyse du Moi trouve son terme idéal, celui où le sujet, ayant retrouvé les origines de son Moi en une régression imaginaire, touche par la progression remémorante, à sa fin dans l'analyse : soit la subjecti-*

vation de sa mort[2]. » La régression boucle sa boucle ; même imaginaire, elle revient bien au terme d'où elle est partie, non la naissance, bien réelle, mais le terme ultérieur, celui qui met une ponctuation définitive au texte de l'individu. « *Et ce serait la fin exigible pour le Moi de l'analyste, dont on peut dire qu'il ne doit connaître que le prestige d'un seul maître, la mort, pour que la vie, qu'il doit guider à travers tant de destins, lui soit amie[3].* » Le « sujet-supposé-savoir », cette figure du psychanalyste dont il a si fort dénoncé les illusions auprès de ses disciples, pour qu'ils ne l'érigent pas en référence absolue d'un savoir dont il serait l'unique dépositaire et le garant pour tous, comprenait malgré tout une parcelle de vérité. Car il faut bien que le psychanalyste Jacques Lacan ait connu le prestige de la mort, pour exercer ce qui fut, jusqu'au bout, son métier.

Là se trouvaient ses vraies limites, elles sont celles de tous. Quand il parlait de la jouissance féminine, et de l'ignorance qui la qualifie, quand il tentait de mettre en équation le désir, le phallus, la vérité, il cherchait, comme Christine Papin devant ses juges, « *le mystère de la vie* ». Mais il avait sans doute trouvé, dans son rapport à la mort, la bonne distance. Évitant les lendemains qui chantent, et tout ce qui pourrait s'en approcher : les fausses maîtrises, les fausses réformes, les illusions utopiques, le bonheur, le salut, la charité, l'impérialisme de l'altruisme sous toutes ses formes. Il était un vrai stoïcien, doublé parfois d'un vrai cynique. Et, avec opiniâtreté, il poursuivit la construction d'une inversion systématique. Un monde à l'envers.

A l'envers, l'image dans le miroir, et Léa face à sa sœur ; à l'envers, Mme Z. confrontée à l'agression d'Aimée, la paysanne cultivée ; à l'envers, les folles. A l'envers, la Vierge, cachée sous la prévalence du principe mâle, figure sublimée des désirs des hommes. A l'envers, le regard de Lol., le rêve de la bouchère, l'accouplement du président Schreber avec Dieu. A l'envers, le sujet et le monde : le sujet, qui n'est plus « *maître et possesseur de la nature* », selon l'espoir fou de Descartes, mais l'esclave du signifiant qui le représente pour un autre sujet. A l'envers, le message que l'interlocuteur renvoie, la communication, inversée par l'inconscient. Une nef des fous où Lacan a choisi d'être le mât de misaine, les pieds en l'air, la tête en bas ; mais s'il n'y a plus ni envers ni endroit, qui dira que Lacan est fou, pour avoir voulu regarder le monde par l'autre bout ?

Ce faisant, il accomplissait son destin de shaman. Car il fut Shaman, et il fut prophète ; ce n'est pas la même chose. Le shaman est seul, il guérit, « medicine-man », exclu ; sa parole n'a de pouvoir que curative, et, s'il peut être chef, c'est grâce à sa magie. Le prophète délivre un message entendu de tous ; et Lacan, à partir de 1953, devint prophète. « *Le prophète et le sorcier, qui ont en commun de s'opposer au corps des prêtres en tant qu'entrepreneurs indépendants exerçant leur office en dehors de toute institution, donc sans protection ni caution institutionnelles, se distinguent par les positions différentes qu'ils doivent à des origines sociales et des formations très différentes : tandis que le prohète affirme sa prétention à l'exercice légitime du pouvoir religieux..., le sorcier répond coup par coup à des demandes partielles et immédiates, usant du discours comme d'une technique de cure (du corps) parmi d'autres et non comme d'un instrument de pouvoir symbolique, c'est-à-dire de prédication ou de "cure des âmes"*[3]. » Ce texte de Pierre Bourdieu décrit un clivage capital. En choisissant d'enseigner une science, Lacan, qui gardait ses pouvoirs de shaman, et son métier de psychanalyste, cherchait une légitimité. Il l'obtint avec son École. Le geste de dissolution de janvier 1980 était moins un geste de prophète qu'une fidélité à la solitude du shaman. « *S'il arrive que je m'en aille, dites-vous que c'est afin d'être Autre enfin...* » Encore plus absent ; encore plus inversé ; sorcier, et non plus prophète. Mais il avait bien obéi à cette règle sociale de l'« entrepreneur indépendant » ; et il l'avait été, indépendant, même si ce fut malgré lui. Ceux qui à jamais l'avaient exclu de leur corps — par le « chammata » définitif — ne lui avaient pas laissé le choix de la dépendance.

En revanche, publier les *Écrits*, c'était le geste du prophète. C'était ouvrir le dogme à tous, l'offrir aux gloses, aux interprétations infinies, aux contresens et aux erreurs. C'était entrer dans une contradiction entre shamanisme et prophétisme, et se placer dans une position de maîtrise, lui qui les avait toutes dénoncées. Le discours du Maître, Lacan l'avait distingué, dans un autre jeu à quatre coins, du discours Universitaire qui trouvait d'autant moins grâce à ses yeux qu'il faisait désormais officiellement partie de cette institution ; du discours de l'Hystérique analogue au « Fais voir » du peintre (« *Fais voir si t'es un homme* ») et du discours du Psychanalyste, explorateur de l'impossible objet du désir[4]. Y a-t-il échappé, à cette maîtrise qu'il disait ne pas vouloir ? Il y était tant pris qu'il voulut s'en sortir, brutalement ; et, pour ce faire, il fallait « dissoudre » la colle. Se décoller de la maîtrise, inhérente à l'enseignement. Il avait lui-même parcouru les quatre discours. Celui du psychanalyste, puisqu'il l'était avant tout, et que sa parole ne tenait qu'à ce statut. Celui de l'hystérique, attaché qu'il fut à susciter chez ses auditeurs analystes un défi : « *Fais voir si t'es un analyste.* » Celui de l'universitaire, puisqu'il ne pouvait nier être l'un des maillons d'une chaîne d'enseignement. Et celui du Maître enfin.

Car une crainte l'habitait, qu'il exprima dans « *La Lettre volée* », en manière de prologue aux *Écrits*. « *Plût au ciel que les écrits restassent, comme c'est plutôt le cas des paroles ; car de celles-ci la dette ineffaçable du moins féconde nos actes par ses transferts[5].* » Ainsi, il avait peur de ne pas *rester*. Et les *Écrits* lui semblaient peu de chose au regard d'un public habitué à l'écouter. Psychanalyste jusqu'au tréfonds, il mettait sa confiance dans la parole, non pour dire la vérité, puisqu'elle est impossible à dire, mais pour opérer sur ses auditeurs « *la dette ineffaçable* », le transfert. Or, si le psychanalyste place son action — son impouvoir — dans le transfert, il en cherche aussi le dénouement, la « liquidation ». La dette ne doit pas être ineffaçable, sous peine d'asservissement ; et en souhaitant « rester » par ce moyen, Lacan basculait du côté d'une maîtrise dont il ne parvint jamais à s'échapper. Pas même par la dissolution : à peine avait-il annoncé la formation de son nouveau groupe, « la Cause freudienne », que les adhésions affluaient, qu'il ne refusa pas. C'étaient les mêmes encore, à l'exclusion de quelques-uns moins asservis. Oui, le prophète en Lacan avait étouffé le shaman, désormais prisonnier d'un enseignement contradictoire.

Mais il demeurait fou d'amour. Fou de transfert. Fou de vérité et de Logos, inscrits au fer rouge de la passion, pour qui venait l'entendre. Il ne se souciait pas de l'écrit, et, en fait, écrivit peu. Car il était d'une autre mémoire et d'un autre temps. Il n'était pas de ce monde qui pourtant l'adora avant de le haïr. Il était voué à devenir immortel ; or cela aussi fait partie de la mythologie la plus intime du shaman. Car c'est le shaman, et non le prophète, qui bondit par-dessus les clivages des hommes, et, initié, qui parvient à être exclu et inclus, hors du groupe et dedans, à la place d'honneur, banni et reconnu. C'est le shaman seul qui devient le poète « *qui se produit d'être mangé des vers*[6] ». Mangé des mots qui passent à travers lui « *sans se soucier, c'est manifeste, de ce que le poète en sait ou pas*[7] ». Ainsi expliquera-t-il l'ostracisme dont Platon, dans *La République*, frappe le poète, que l'on reconduit poliment à la porte de la cité, la tête couverte des bandelettes ; honoré certes, mais dehors. Les mots avaient mangé Lacan. L'ostracisme avait sans doute produit sur lui les profonds effets poétiques qu'il développa, jusqu'à l'hyperbole, en son langage ; mais l'ostracisme était, d'avance, inscrit dans la passion des femmes folles.

C'est le shaman enfin qui accède à l'androgynie, homme et femme, en lui-même inversé. Le voyage initiatique qui lui donne un squelette de fer lui confère aussi les pouvoirs de travestissement qui feront de lui un quelque chose d'autre, ni homme ni femme, surhumain.

Par-delà les oppositions de culture, le bien et le mal, le pouvoir et l'esclave, papa et maman, fille et garçon. Nimbé de l'obscurité de paroles inachevées, à l'abandon d'elles-mêmes, trouées de partout, le shaman se fait d'autant mieux le dépositaire de la culture de son groupe qu'il la transcende, et la sublime. Ainsi en fut-il de Lacan, merveilleusement lettré, acharné à déplacer un discours dont il laissait faire en lui les effets de trouvaille. Et, comme le shaman, habité du fantasme de l'immortalité, qui jamais ne se dévoile mieux que dans la mythologie du phénix. Le phénix, oiseau de feu, renaît de ses cendres ; mais c'est lui-même qui, au terme d'un long voyage qui remonte les eaux du fleuve Nil, met le feu à son propre père, qu'il transporte sur son dos d'oiseau. Il frotte alors ses ailes et s'embrase avec lui, sur un bûcher fait de sa propre merde, qui, comme les corps des saintes chrétiennes, embaume : le phénix ne chie que cannelle. Né de lui-même ou de son propre père, et engendré dans un bûcher de déchets, le phénix échappe à la loi de l'engendrement ; il n'est fils ni d'homme ni de femme, il participe des deux. C'est en quoi il est immortel, indifférent aux partages des sexes [8].

Il y a du phénix en Lacan, lorsqu'il s'identifie à la jouissance des mystiques, et au tutoiement de la rencontre avec l'être. Il y a du phénix en Lacan, quand il veut à tout prix demeurer, mangé aux vers, cadavre de langage, voué à la renaissance de la décomposition. Il y a du phénix en Lacan, qui sans cesse renaît de lui-même : mort une première fois avec la procédure d'exclusion, mort une seconde fois, tué par l'adulation qui l'étouffait. Et ressuscité, comme en témoigne la joie de celles de ses suivantes qui déjà l'enterraient en leur cœur, et qui, comme Marie-Madeleine à la porte du tombeau du Christ, trouvent le sépulcre vide, et l'oiseau envolé [9]. C'est la part phénix en lui qui est l'inspiration. C'est elle qui lui donne la force de l'emphase propre aux mythes : l'emphase, ou l'exagération de l'expression ; l'emphase, ou l'art de la métaphore. C'est elle qui se trouve à la source de la jubilation des mots, délivrés de toute contrainte pédagogique, et, pour finir, livrés à la seule folie du jeu pur. L'enfant rejoint l'oiseau, le vieillard rejoint le petit qui rit, et se reconnaît dans le miroir. La boucle s'achève au terme de laquelle il ne restera plus que le Maître absolu, le dernier point, la mort, avec quoi désormais plus personne ne pourra jouer.

Lacan, l'homme aux deux destins. Un destin public, de clinicien, de lettré, d'enseignant, de prophète, de maître d'école. Un destin secret, de passion, de poésie, de folie, d'amour, de shaman. Le psychanalyste en lui se trouvait à la croisée des chemins ; entre le public et le privé, entre le prophète et le shaman, pris entre deux passions de langue. Sa double histoire fut à la fois dérisoire et démesurée. Dérisoire, par l'aspect public ; démesurée, par la force d'une passion qui jamais ne se démentit. L'oiseau de feu résista à toutes les atteintes ; mais il laissait des plumes à chacun de ses combats. Il finit, comme il est logique, par allumer lui-même le bûcher de ses propres excréments.

NOTES

I. PLAISIRS D'AMOUR

1. François George, auteur de *L'Effet 'Yau de Poêle de Lacan et des lacaniens*, publié chez Hachette-Essais en 1979. François George avait écrit auparavant *Prof à T, Deux études sur Sartre, La Loi et le Phénomène, Pour un ultime hommage au camarade Staline*. Sa famille l'avait élevé dans le plus pur dogmatisme stalinien ; il en conçut une passion pour la liberté, une fidélité à Sartre, et une adoration sans limites pour le personnage d'Arsène Lupin, à qui le livre *La Loi et le Phénomène* est consacré. Alliance entre le métaphysique et le pataphysique : drôle de pensée. Et par son goût du bizarre et du jeu avec les mots, George ne pouvait qu'être attiré par Lacan, même si ce fut pour le tourner en dérision.

2. Le 5 janvier 1980, par courrier envoyé aux membres de son École.

3. *Ornicar ?* n° 20-21, « Lettre de dissolution », pp. 9 et 10 (éd. Lyse, diffusé par les éd. du Seuil).

4. *Ibid.*, séminaire du 18 mars 1980, p. 19.

5. *Ibid.*, 15 janvier 1980, p. 12.

6. A cette époque, Louis Althusser avait eu le courage de prendre la plume pour un *Freud et Lacan* demeuré célèbre, et publié dans *La Nouvelle Critique*. Louis Althusser restait sur la psychanalyse d'une discrétion rare ; et cette réserve ne fut brisée qu'en 1980, au moment où il fit un geste public en direction de Lacan ; ce geste, violent et passionné, résumait les irritations d'un grand nombre de gens et, comme passage à l'acte, en laissait présager d'autres plus dramatiques. L'agression était dans l'air. Mais Althusser avait pris sur la psychanalyse des positions aussi fortes et courageuses que sur tous les autres combats de sa vie de philosophe militant qu'il convient aujourd'hui de ne pas oublier par-delà son geste criminel.

7. Par exemple, dans *Télévision*, cette petite phrase en exergue : « *Celui*

qui m'interroge sait aussi me lire», signée J.L. C'était Miller qui questionnait Lacan dans l'émission réalisée par Benoît Jacquot. Ou encore, dans une lettre au journal *Le Monde* précédant un texte de séminaire de janvier 1980, cette dénonciation par Lacan de ceux qui clament «*haro sur Jacques-Alain Miller, odieux de se démontrer l'au-moins-un à le lire*». «Le» = Jacques Lacan.

8. Comme en témoigne le texte du *Magazine littéraire*, numéro Jacques Lacan, *L'Impromptu de Vincennes*. Voir plus loin, pp. 153-154.

9. Par exemple, dans la série, publiée aux éd. du Seuil, et intitulée *L'Évangile au risque de la psychanalyse*. Lecture certes chrétienne, mais remarquable par la simplicité directe de l'interprétation ; et par la fraîcheur qu'elle apporte au texte même des Évangiles.

10. Jacques Derrida, peu à peu, en parlant de l'écriture que refoule le Logos dans nos cultures, se mit à critiquer Lacan, qui sur le Logos disait la même chose que les autres, et lui accordait priorité. C'est avec «*le facteur de la vérité*» que la critique devint ouverte, et raffinée : Derrida analysait le refoulement de Lacan lisant *La Lettre volée* d'Edgar Poe, dans le séminaire qu'il lui consacra en 1956. Voir plus loin, pp. 189, sqq. Quant à Félix Guattari, il était en rébellion ouverte, à l'intérieur de l'école freudienne ; par surcroît, il avait écrit, avec Gilles Deleuze, *L'Anti-Œdipe*, en 1972 ; et il avait obtenu un succès ambigu au regard des lacaniens : *L'Anti-Œdipe* critiquait Freud, mais aussi, et de biais, Lacan.

11. Patrick Rambaud, lui aussi — et comme tous les journalistes de cet excellent magazine —, est un jeune homme malin et dans le vent. Comme on dit. Il passa un temps honnête à questionner les uns, les autres, à enquêter non sans certains résultats, mais non sans trouver des bouches cousues et les portes closes ; lassé, il dut se résoudre enfin à collecter toutes les rumeurs qu'il avait entendues, quitte à en exagérer quelques-unes...

12. Film produit par le service de la Recherche de l'O.R.T.F., diffusé sous le titre *Psychanalyse*, édité ensuite sous le titre *Télévision*, aux éd. du Seuil.

13. Montherlant, *Le Génie et les fumisteries du Divin*, la Nouvelle Société d'édition, pp. 32-33.

14. Althusser avait pu entrer dans une séance de travail fermée au public, grâce à l'aide d'un de ses anciens élèves, membre de l'École freudienne. Althusser y fit une intervention remarquée, qu'il rédigea, pendant la nuit, pour la faire paraître. Le texte — dont je lus lecture au téléphone le lendemain matin, de la voix même d'Althusser — ne parut jamais intégralement ; je pus en donner quelques extraits dans *Le Matin*. Les analyses de Louis Althusser étaient très critiques, très pertinentes et plus violentes contre les lacaniens que contre Lacan lui-même.

15. C'est au remarquable travail d'Élisabeth Roudinesco que l'on doit l'éclairage inattendu sur les positions d'Edouard Pichon (*Confrontation* nº 3, éd. Aubier-Montaigne, pp. 179-225). Pichon disait à Lacan : «*Allez, Lacan, continuez à fouler bravement votre chemin propre dans la friche, mais veuillez laisser derrière vous assez de petits cailloux bien blancs, pour*

qu'on puisse vous suivre et vous rejoindre ; trop de gens, ayant perdu toute liaison avec vous, se figurent que vous êtes égaré. » La raison de cet égarement était double. D'une part, la « cuirasse faite à la fois d'un jargon de secte et d'une préciosité personnelle », d'autre part, la « françaiseté » de Lacan, trop teintée, au goût de Pichon, d'un « vernis germanique ». A l'époque, Lacan avait publié dans l'Encyclopédie française, dirigée par le psychologue communiste Henri Wallon. Voir, d'Elisabeth Roudinesco, son dernier livre, La Guerre de Cent Ans (Ramsay).

16. Par exemple dans Martin Buber ; ou, plus lointainement, dans Levinas, dans Jabès ; et même, à certains égards, dans les textes les plus récents de Jacques Derrida.

17. Écrits, « La direction de la cure et les principes de son pouvoir », p. 642, Seuil.

18. Ornicar ?, p. 10.

19. Le « rideau » vient des « propos sur la causalité psychique », pp. 166-167 : « Le mot n'est pas signe, mais nœud de signification. Et que je dise le mot "rideau" par exemple, ce n'est pas seulement par convention désigner l'usage d'un objet que peuvent diversifier de mille manières les intentions sous lesquelles il est perçu par l'ouvrier, par le marchand, par le peintre ou par le psychologue gestaltiste, comme travail, valeur d'échange, physionomie colorée ou structure spatiale. C'est par métaphore un rideau d'arbres ; par calembour les rides et les ris de l'eau, et mon ami Leiris dominant mieux que moi ces jeux glossolaliques. C'est par décret la limite de mon domaine ou par occasion l'écran de ma méditation dans la chambre que je partage. C'est par miracle l'espace ouvert sur l'infini, l'inconnu sur le seuil ou le départ dans le matin du solitaire. C'est par hantise le mouvement où se trahit la présence d'Agrippine au Conseil de l'Empire, ou le regard de Mme de Chasteller sur le passage de Lucien Leuwen. C'est par méprise Polonius que je frappe : "Un rat ! Un rat ! Un gros rat !" C'est par injection, à l'entracte du drame, le cri de mon impatience ou le mot de ma lassitude. Rideau ! C'est une image enfin du sens en tant que sens qui pour se découvrir doit être dévoilé. »

20. Dans l'un des numéros de Delenda.

21. J'emprunte ces « défilés du signifiant » au récit de Sandra Thomas, La Barbaresque, paru au Mercure de France en 1980. Ou peut-être à cette histoire qui est la sienne, et qu'elle m'avait racontée en des termes un peu différents du récit publié, quelques mois auparavant.

22. Écrits, « La psychanalyse et son enseignement », p. 458.

23. Avec les deux tomes des Avant-Mémoires (Gallimard) écrits à partir des minutes du greffe où se trouve consignée l'histoire de sa famille jusqu'au XVIᵉ siècle. C'est sur le XVIIᵉ qu'il sera conduit à écrire malgré tout, croisant ici et là les personnages d'Alexandre Dumas dans Les Trois Mousquetaires. Jean Delay s'en tient strictement à l'histoire, mais on sent que le roman, chez l'académicien, n'est pas loin... Et le « roman familial » rôde à travers les pages de l'histoire, rejoignant les passions curieuses du psychiatre et de l'analyste.

24. Écrits, « L'instance de la lettre dans l'inconscient », p. 501.

25. Ibid., p. 500.

26. *Ibid.*, p. 501.

27. *Ibid.*, p. 504.

28. Supplément au n° 8 d'*Ornicar ?*, avec, en sous-titre, *La communauté psychanalytique en France*, II, 1977, toujours édité chez Lyse.

29. *Écrits*, « La chose freudienne », pp. 408-409.

30. *Ibid.*, p. 411.

31. *Ibid.*, p. 436.

32. *Ornicar ?*, «*Après la dissolution*», titre de la bande du volume, n° 20-21, p. 12.

II. LE CHEMIN DES DAMES

1. *Le Débat*, dirigé par Pierre Nora (Gallimard).

2. Henry Ey, par exemple, avec qui Lacan travailla longtemps, et qui organisait, dans son hôpital de Bonneval, d'importants colloques ; il fut un grand psychiatre.

3. Cette revue vient d'être partiellement rééditée (année 1933) par Skira-Flammarion ; on y trouve les articles de Lacan. Et un prodigieux témoignage sur la fécondité intellectuelle de ce petit groupe, immortalisé par une photo de Brassaï. (S'y trouvent aussi Sartre et Simone de Beauvoir.)

4. Les deux textes de Lacan publiés dans *Le Minotaure* ont été rassemblés (avec sa thèse de médecine) sous le titre *Premiers écrits sur la paranoïa*. Et c'est dans le premier, qui date de juin 1933, que l'on trouve ce texte, *in* « Le problème du style et la conception psychiatrique des formes paranoïaques de l'expérience », pp. 387-388. Page 384, Lacan note avec ironie que « *le médecin, entre tous les intellectuels, est le plus constamment marqué d'une légère arriération dialectique* ». Amorce d'une critique des psychanalystes qui se retrouvera presque dans les mêmes termes.

5. *Écrits* « *inspirés* » : *Schizographie, op. cit.* p. 372. Dans un autre texte, Marcelle, au lieu de « *mère la fouine* », parle de « *merle à fouine* ».

6. *Télévision*, p. 72.

7. *Écrits* « *inspirés* », p. 371.

8. *Télévision*, p. 72.

9. « *Le problème du style...* », p. 388.

10. Il faudrait ajouter aux grandes classiques dont nous allons voir les hauts faits, la « parkinsonienne post-encéphalitique » (1930) ; la « traumatisée de guerre » (1928).

11. Je pense aux éditions Des femmes, qui ne se sont pas appelées « De la femme », et qui ont étayé une partie de leur histoire sur une réflexion lacanienne. Qu'elle ait été critiquée plus tard ne change rien à l'affaire.

12. *Encore, Séminaire*, liv. XX, p. 68.

13. *Ibid.*

14. *Ibid.*

15. *Ibid.*, p. 69.

16. *Ibid.*, pp. 70-71.

17. Georges Bataille, *Œuvres complètes*, t. III, Œuvres littéraires, Gallimard. « *Assise, elle maintenait haute une jambe écartée ; pour mieux ouvrir la fente, elle achevait de tirer la peau des deux mains. ainsi les "guenilles" d'Edwarda me regardaient, velues et roses, pleines de vie comme une pieuvre répugnante. Je balbutiai doucement : "Pourquoi fais-tu cela ? — Tu vois, dit-elle, je suis DIEU..."* », pp. 20-21.

18. *Extases mystiques* de Jean-Noël Vuarnet, Arthaud, 1980.

19. *Premiers écrits sur la paranoïa*, pp. 389-399, Seuil.

20. « *De la psychose paranoïaque dans ses rapports avec la personnalité* », *Premiers écrits sur la paranoïa, op, cit.*, p. 153.

21. *Moi, Pierre Rivière...* édition collective sous la direction de Michel Foucault, coll. « Archives », Julliard, voir plus loin pp. 171-173. C'est en 1835 que le jeune Rivière tua à coups de serpe sa mère, sa sœur et son frère ; les années qui précédèrent et suivirent ce parricide célèbre virent d'autres crimes tout aussi surprenants.

22. *Op. cit.*, p. 398.

23. *Ibid.*, p. 393.

24. *Ibid.*, p. 397.

25. Cf. aussi dans les *Écrits*, « *Propos sur la causalité psychique* » : « *La lignée des persécutrices qui se succèdent dans son histoire répète presque sans variation la personnification d'un idéal de malfaisance, contre lequel son besoin d'agression va croissant.* » C'est ce mécanisme implacable, où l'agression se tourne vers l'extérieur pour frapper, en l'autre, un autre soi-même, que Lacan nomme la « *paranoïa d'auto-punition* ».

26. « *Kant avec Sade* » : c'est le titre d'un des textes des *Écrits*, l'un des plus austères et difficiles, où Lacan met en rapport *La Philosophie dans le boudoir*, de Sade, et la *Critique de la raison pratique*, de Kant, qui, à quelques années près, sont des œuvres contemporaines. Il y démontre, de façon assez elliptique, que Sade est l'inverse absolu de Kant ; malgré les transgressions mises en scène par Sade, l'œuvre a un air de « raison » ; pour Kant comme pour Sade, l'enjeu est pour une rapport entre le Désir et la Loi. Chez Kant, la Loi domine le Désir ; mais, à l'envers, chez Sade, également. (*Écrits*, pp. 765-790.) C'est aussi l'un des très rares textes *écrits* par Lacan ; il devait servir de préface à *La Philosophie dans le boudoir*, et a servi de postface à ce texte de Sade dans l'édition de 1966, Cercle du livre précieux.

27. Cité par Claude Lévi-Strauss (en anglais) dans le deuxième tome de l'*Anthropologie structurale*, « *Rapports de symétrie entre rites et mythes de peuples voisins* » (mélanges Evans-Pritchard), p. 299, éd. Plon.

28. *Op. cit.*, p 185.

29. *Op. cit.*, p. 193.

30. Ce texte, étonnamment hégélien par l'écriture (mis à part les deux derniers mots de la phrase) est extrait de « *Propos sur la causalité psychique* », *Écrits*, p. 172.

31. *Ibid.*, p. 175.

32. Claude Lévi-Strauss, à la fin des *Structures élémentaires de la parenté*, emploie l'expression « *vivre entre soi* ». Ce sont les derniers mots du livre. Pierre Clastres, dans un texte repris aux éditions du Seuil dans le recueil d'articles parus après sa mort *(Recherches d'anthropologie politique)*, précise que le « *vivre entre soi* » est entièrement homosexuel.

33. Ou « *affairement jubilatoire* », dans le texte princeps, « *Le stade du miroir comme formateur de la fonction du Je telle qu'elle nous est révélée dans l'expérience psychanalytique* », *Écrits*, p. 94. Les autres textes sur le stade du miroir sont : « *L'agressivité en psychanalyse* », et « *Propos sur la causalité psychique* », toujours dans les *Écrits*, pp. 101-124 et 151-193. Les travaux de Harrisson datent de 1939.

34. *Écrits*, op. cit., p. 97.

35. Dans les *Essais de psychanalyse*, éd. Payot.

36. *Critique de la raison pure*.

37. « *L'agressivité en psychanalyse* », *Écrits*, p. 105.

38. *Ibid.*

39. « *Le stade du miroir* », *Écrits*, p. 100.

40. *Ibid.*

41. *Ibid.*

42. « *Position de l'inconscient* », *Écrits*, à partir de la p. 842. Et également pp. 179 à 181, dans *Les quatre concepts fondamentaux de la psychanalyse*, *Séminaire*, liv. XI.

43. « *Un jour, une fille nue dans les bras, je lui caressai des doigts la fente du derrière. Je lui parlai doucement du "petit". Elle comprit. J'ignorais qu'on l'appelle ainsi, quelquefois, dans les bordels. Si j'évoque une enfance souillée et enlisée, condamnée à dissimuler, c'est la voix la plus douce en moi qui s'écrie : je suis moi-même le "petit", je n'ai de place que caché.* » Georges Bataille, *Œuvres complètes*, t. III, p. 38, dans le texte qui s'appelle, précisément, « Le petit ».

44. *Télévision*, p. 40.

45. L'un des plus énigmatiques objets dans la liste des « objet-petit-a » est la livre de chair que désire Shylock, dans *Le Marchand de Venise*. On se souvient que le personnage du juif veut obtenir par jugement une livre de la chair d'un jeune chrétien : or, si on la découpait effectivement, l'homme mourrait, ce qui, dans la comédie de Shakespeare, n'arrive pas. Lacan y voit une des figures possibles de l'objet-petit-a, indécoupable, entité partielle, inaccessible.

46. *Encore*.

III. LA BOUCHÈRE NE VOULAIT PAS DE CAVIAR

1. On reconnaîtra, de Marcel Carné et Jacques Prévert, l'immortel *Drôle de drame*, avec, dans l'ordre, Michel Simon, Louis Jouvet, Françoise Rosay.

2. Dans le dossier intitulé « *Excommunication* », *Ornicar ? op. cit.*, p. 96. Cette intervention, d'accord avec Pontalis, Lang, Smirnoff et Widlöcher, répondait à une allocution d'ouverture de Serge Leclaire, le 10 novembre 1963 ; ce dernier y parlait de conflit ouvert autour de Lacan. Jean Laplanche posait avec simplicité les problèmes que soulevait l'existence même de Lacan, notamment « *le dévoilement de ce qu'une fonction de maître passionnément assumée signifie en fait de désir, plus loin en tout cas qu'il n'est possible dans une assemblée comme celle-ci* ». Le problème était réel, si même il dépendait d'une pression incroyable de l'Association internationale. Ce que résumait fort bien Jenny Aubry, qui disait à l'époque : « *La position actuelle du débat se résume à "Voulez-vous Lacan, ou l'Internationale ?"* » En reprenant la formule des Évangiles (voulez-vous Jésus ou Barrabas ?) elle mettait le doigt sur l'aspect profondément mythique de cette querelle.

3. Texte repris en quatrième de couverture du dossier « *l'Excommunication* ».

4. Numéro spécial sur les « *Voyages chamaniques* », in *l'Ethnographie*, revue de la société d'ethnographie de Paris, éd. Gabalda, 1977, nº 74-75, Alain-Fournier, « *Note préliminaire sur le "Poembo" de Suri* », p. 239.

5. Mary Douglas, « De la souillure », *Essais sur les notions de pollutions et de tabous*, François Maspero, 1971, pp. 128-129.

6. Hegel, *Phénoménologie de l'esprit*, éd. Aubier, p. 309.

7. Pierre Bourdieu, « *Genèse et structure du champ religieux* », in *Revue française de sociologie*, 1971, pp. 295-334.

8. « *Fonction et Champ de la parole et du langage en psychanalyse* », 26-27 septembre 1953, *Écrits*, p. 238.

9. *Ibid.*, p. 247.

10. *Ibid.*, p. 252.

11. *Ibid.*, p. 313.

12. Selon le témoignage d'un écrivain, François Weyergans, qui put écrire *Le Pitre*, et parler avec justesse de son analyse avec Lacan, plus tard. *Le Pitre*, roman (Gallimard), décrivait un Lacan clownesque, pris dans la mythologie d'un patient en analyse avec lui. C'était un magnifique travail sur l'image de Lacan ; et un superbe roman.

13. *Op. cit.*, p. 313.

14. Voir Marcel Detienne, *Les Maîtres de vérité dans la Grèce archaïque*, Éd. Maspero, 1967, coll. « Textes à l'appui », p. 45.

15. *Do Kamo* : en langage mélanésien, selon Maurice Leenhardt, qui en fit le titre d'un livre célèbre dans l'histoire de l'ethnologie, Do Kamo signifie la parole et l'homme, en même temps.

16. Paru dans la revue *Communication*.

17. Le Grand Larousse donne la définition suivante : « *Signes de ponctuation, ensemble de signes qui servent à marquer les limites ou les rapports entre les divers éléments de la phrase ou du discours.* » Une longue rubrique est ensuite consacrée à la ponctuation. « *Tous les signes de ponctuation dénotent une pause, obligatoire ou facultative, signe d'une démarcation linguistique ou psychique ; dans sa réalisation orale, cette pause*

s'accompagne toujours d'inflexions de la courbe mélodique, plus constantes même que l'interruption du flux oral, et dont les signifiés rejoignent plus ou moins ceux qu'exprime le choix des marques graphiques de pause. »

18. *Écrits*, « *Subversion du sujet et Dialectique du désir* », p. 806.

19. Voir notamment, p. 36 dans *Les quatre concepts fondamentaux de la psychanalyse, Séminaire*, livre XI.

20. « *Fonction et Champ de la parole...* », p. 252.

21. *Écrits*, « *La Direction de la cure et les principes de son pouvoir* », p. 616.

22. *Ibid.*, p. 617.

23. S. Freud, G.W. t. 16.

24. « *Fonction et Champ de la parole...* », p. 300.

25. Freud, *L'Interprétation des rêves* (titre modifié, éd. PUF, 1967, traduction Meyerson revue par Denise Berger), p. 133.

26. « *La Direction de la cure...* », p. 625.

27. *Ibid.*, p. 625.

28. *Ibid.*, p. 626.

29. *Ibid.*, p. 627.

30. *Ibid.*, p. 626.

31. *Ibid.*, p. 627.

32. Dans la série des trois dialogues *Parménide, Théétète, Le Sophiste*, où se marque progressivement, à travers des impasses successives, la nécessité de faire apparaître le manque pour qu'advienne le réel.

33. « *Fonction et Champ de la parole...* », p. 299.

34. *Anthropologie structurale*, t. II, p. 33. (Le champ de l'anthropologie.)

35. *Ibid.*, p. 34.

36. *Ibid.*, p. 35.

37. « *Du traitement possible de la psychose* », p. 575.

38. « *La Direction de la cure...* », p. 627.

39. *Un voyage à travers la folie*, par Mary Barnes et Joseph Berke, Seuil, 1973.

40. Sigmund Freud, *Ma vie et la psychanalyse*, Gallimard, coll. Idées, p. 36.

41. « *Fonction et Champ de la parole...* », note p. 308.

42. Je pense par exemple à Dariush Shayegan, qui s'est exprimé sur ce thème dans *Le Matin* en *1979*.

43. « *La Direction de la cure...* », p. 640.

44. *Ibid.*, p. 640.

45. *Ibid.*, p. 641.

46. *Écrits*, p. 350.

47. *Œuvres complètes du pseudo-Denys l'Aréopagite*, traduction Maurice de Gandillac, Aubier-Montaigne, pp. 182-183.

48. *La personnalité psychique*, in *Nouvelles Conférences sur la psychanalyse*, Idées, p. 107.

49. Notamment dans « *La Chose freudienne* », p. 417. Mais aussi, dans « *L'Instance de la lettre dans l'inconscient* » : « *Là où fut ça, il me faut*

advenir. » Trad. de Marie Bonaparte, revue et annotée par Lacan : « *Le moi (de l'analyste sans doute) doit déloger le ça (bien entendu du patient).* » P. 842, « *Position de l'inconscient* », *Écrits.* Et encore, dans « *La science et la vérité* » : « *Là où c'était, là comme sujet dois-je advenir* », *ibid.*, p. 864.

50. *Télévision*, p. 65.

51. *Ibid.*, p. 66.

52. *Ibid.*, pp. 66-67.

IV. LA MARELLE ET LES QUATRE COINS

1. Cette « affaire » — une de plus — reproduit jusqu'à la caricature le processus d'exclusion cher à l'essence-Lacan. Flacelière lui signifia son congé. En réponse, des « séminaristes » indignés, dont Philippe Sollers et Jean-Jacques Lebel, occupèrent le bureau du directeur de l'École. Il y eut bagarre, C.R.S., tapage, scandale. Mais Lacan, qui restait chargé de cours, trouva refuge à la Faculté de Droit du Panthéon, où il fut tranquille jusqu'au bout. L'anecdote révèle la puissance du processus d'évacuation, suivi par la résurrection immédiate.

2. Dans *Pour Marx* qui marque le début de l'enseignement de Louis Althusser (Maspero) et dans *Lire « le Capital »*, aux mêmes éditions.

3. *Les Mots et les Choses*, 1966, Gallimard.

4. Dessin de Maurice Henry repris dans *les Années 60*, éditions Métailié, 1980.

5. Paru dans le numéro du *Magazine littéraire* consacré à Jacques Lacan, février 1977.

6. Dernier texte des *Écrits*, p. 855.

7. Notamment dans un texte demeuré fameux, et publié dans *la Nouvelle Critique* en 1947. Même Philippe Bassine, psychologue soviétique, dans son ouvrage sur l'*Inconscient*, publié aux éditions de Moscou, ne va pas aussi loin.

8. « *La science et la vérité* », p. 858.

9. L'ouvrage de Paul Ricœur s'intitulait *De l'interprétation*, aux éd. du Seuil. Texte de Lacan, *Écrits*, p. 867.

10. « *La science et la vérité* », p. 872.

11. *Ibid.*, p. 874.

12. Séminaire inédit (d'après mes propres notes, 1965).

13. *Écrits*, p. 197. Le problème est le suivant : soit une prison, un directeur, trois prisonniers. Le directeur leur dit ceci : « Je dois libérer l'un d'entre vous. Je vais placer un disque sur votre dos, il y a cinq disques, trois blancs, deux noirs. Mais vous ne verrez que le dos des autres. Sera libéré celui qui pourra déduire sa propre couleur. » Le directeur, ayant fini son discours, ne pose aucun des disques noirs : tous les prisonniers sont pourvus d'un disque blanc, et ne le savent pas. Tous

franchiront ensemble le seuil de la porte, au bout d'un certain temps, sur quoi porte la réflexion de Lacan. Chacun se sera tenu le raisonnement suivant : « *Je suis un blanc. S'il y avait un noir, chacun aurait pu déduire ceci : si j'étais noir moi aussi, l'autre aurait reconnu immédiatement qu'il était un blanc, serait aussitôt sorti. Si personne ne sortait immédiatement, c'est que je suis blanc comme eux.* » De ce petit exercice sur la durée de l'assertion, Lacan tire d'éblouissantes conclusions sur l'humanisme. Un homme sait qu'il est homme. Les hommes se reconnaissent entre eux être des hommes. Je m'affirme être un homme, de peur d'être convaincu par les hommes de n'être pas un homme. C'est encore, sous sa forme logique, la forme de la pensée de l'exclusion. Qui exclut-on ? Celui qui ne fait plus partie du groupe des mêmes hommes... Ce texte parut dans *Les Cahiers d'art*, en 1945. Sur la couverture, étaient écrites ces dates : 1940-1944.

14. Séminaire inédit, *ibid.*

15. D.W. Winnicott, *Jeu et Réalité, l'espace potentiel*, Gallimard, coll. « Connaissance de l'Inconscient », 1975, p. 59.

16. *Ibid.*, p. 60.

17. *Ibid.*, p. 67.

18. *Ibid.*, p. 143.

19. D'après les schémas d'« *Une question préliminaire à tout traitement possible de la psychose* », *Écrits*, p. 531 sqq.

20. *Ibid.*, p. 549.

21. *Ibid.*, p. 549.

22. *Ibid.*, p. 551.

23. *Écrits*, « Réponse au commentaire de Jean Hyppolite », p. 388.

24. *Ibid.*, p. 388.

25. Ou encore, ailleurs, un « *méconnaître* » essentiel au « *se connaître* ».

26. « *L'instance de la lettre dans l'inconscient* », p. 507.

27. Sigmund Freud, *Cinq psychanalyses*, PUF, p. 268.

28. « *Du traitement possible de la psychose* », p. 579.

29. *Moi, Pierre Rivière...*, *op. cit.*

30. *Ibid.*, p. 77.

31. « *Du traitement possible de la psychose* », p. 583.

32. « *Subversion du sujet et dialectique du désir* », p. 812.

33. Avec une allusion à Mme Edwarda, *Écrits*, p. 583. Lacan résume la théodicée de Schreber par ces mots : « *Dieu est une p...* » Le texte sur la Présence et la Joie est p. 575. Dans l'introduction qu'il rédigea pour la première traduction française des *Mémoires du président Schreber* (*Cahiers pour l'Analyse*, n° 5, *Ponctuation de Freud*, trad. Paul Duquenne), Lacan précise encore : « *Il ne s'agit là de nul accès à une ascèse mystique, non plus que d'aucune ouverture effusive au vécu du malade, mais d'une position à quoi seule introduit la logique de la cure.* »

34. « *Subversion du sujet...* », p. 806.

35. Voir notamment l'admirable préface écrite par Claude Lévi-Strauss pour l'ouvrage de Marcel Mauss, *Sociologie et Anthropologie*, PUF.

36. « *Subversion du sujet...* », p. 808.

37. *Ibid.*, p. 822.

38. *Ibid.*, p. 825.

39. *Ibid.*, p. 825.

40. *Ibid.*, p. 826.

41. *Ibid.*, p. 826.

42. *Ornicar ?, op. cit.*

43. *Ibid.*

44. « *La science et la vérité* », p. 877.

45. Comme le chante Serge Gainsbourg dans une de ses dernières chansons, « *C'est l'hymne à l'amour... moi l'nœud.. Enfin, c' qu'il en reste...* »

46. Voir le chapitre « *Ronds de ficelle* », dans *Encore, Séminaire* XX.

47. « *Lettre de dissolution* », *Ornicar ? op. cit.* p. 9.

48. « *La science et la vérité* », p. 861.

49. *Ornicar ?,* « Après la dissolution », p. 12.

50. *Op. cit.*

51. *Encore,* p. 107.

52. *Scilicet,* nº 2/3, p. 191. Post-scriptum à un article sur la « topologie des formations de l'inconscient ».

53. « *Le facteur de la vérité* », dans *La Carte postale,* Flammarion 1980. L'idée de « *phallogocentrisme* » venait de loin : des premières œuvres de Jacques Derrida, et plus particulièrement de l'un de ses ouvrages majeurs, *Glas.* Lacan emploie, rarement, le terme de « *phallocentrisme* ».

54. *Ornicar ?,* « Après la dissolution », p. 12.

55. *Écrits,* « Le séminaire sur la Lettre volée », p. 15.

56. *Ibid.,* p. 36.

57. « *Le facteur de la vérité* », p. 467.

58. Dans *Encore* (p. 116), Lacan rend hommage — c'est le mot qui convient — à sa fille, seule à avoir compris, dit-il, que pour Don Juan la femme est « *Une-en-moins* ».

59. *Hommage à Marguerite Duras,* Cahiers Renaud-Barrault, p. 11.

60. « *Les quatre concepts fondamentaux de la psychanalyse, l'Anamorphose* », p. 82.

61. *Op. cit.*

62. « *Les quatre concepts fondamentaux de la psychanalyse* », p. 90.

63. *Ibid.,* p. 89.

64. « *Hommage à Marguerite Duras* », p. 10.

CONCLUSION. L'OISEAU DE FEU

1. « *Fonction et Champ de la parole...* », p. 303.

2. « *Variantes de la cure type* », *Écrits,* p. 348.

3. *Op. cit., Genèse et structure du champ religieux,* p. 321.

4. « *Radiophonie* », in *Scilicet* nº 2/3.

5. P. 27.

6. « *Radiophonie* ».

7. *Ibid.*

8. D'après Marie Delcourt, *L'Hermaphrodite*, et Hubaux et Leroy, *Le Mythe du Phénix*.

9. Hubaux et Leroy font remarquer que l'image du phénix s'est justement appliquée au Christ ressuscité, dans la Rome impériale, quand les mythes païens rencontrèrent le christianisme naissant.

BIBLIOGRAPHIE

I. ŒUVRES DE JACQUES LACAN

ÉCRITS, collection « Le champ freudien », dirigée par Jacques Lacan, 1966 première édition. C'est d'après cette première édition que sont annotées les références de ce livre. (Aux éditions du Seuil.).
Les ÉCRITS comprennent les textes suivants :
Au-delà du principe de réalité, 1936, Marienbad.
Le temps logique et l'assertion de certitude anticipée, 1945. Texte publié dans les *Cahiers d'Art*.
L'agressivité en psychanalyse, 1948. Bruxelles.
Le stade du miroir comme formateur de la fonction du je, Zurich, 1949.
Introduction théorique aux fonctions de la psychanalyse en criminologie (avec Michel Cénac), 1950.
Propos sur la causalité psychique, Bonneval, 1946.
Intervention sur le transfert, 1952.
Fonction et Champ de la parole et du langage en psychanalyse, Rome, 1953.
Introduction et réponse au commentaire de Jean Hyppolite sur la « Verneinung » de Freud, Hôpital Sainte-Anne, 1954.
Variantes de la cure type, 1955.
Le séminaire sur la Lettre volée, 1955. (Rappelons que, pour des raisons non chronologiques mais théoriques, ce texte fut placé par Lacan en tête des *Écrits*.)
La chose freudienne, ou sens du retour à Freud en psychanalyse, Vienne, 1955-1956.
Situation de la psychanalyse et formation du psychanalyste en 1956.
La psychanalyse et son enseignement, 1957.
L'instance de la lettre dans l'inconscient ou la raison depuis Freud, 1957.
D'une question préliminaire à tout traitement possible de la psychose, 1955-1958.
Jeunesse de Gide ou la lettre et le désir, 1958. Texte publié dans *Critique*.
La signification du phallus, Munich, 1958.

La direction de la cure et les principes de son pouvoir, Royaumont, 1958.

Remarque sur le rapport de Daniel Lagache : « Psychanalyse et structure de la personnalité », Royaumont, 1958-1960.

A la mémoire d'Ernest Jones : sur sa théorie du symbolisme, Guitrancourt, 1959.

Propos directifs pour un Congrès sur la sexualité féminine, Amsterdam, 1960.

Subversion du sujet et dialectique du désir dans l'inconscient freudien, Royaumont, 1960.

Position de l'inconscient, Bonneval, 1960.

Kant avec Sade, texte publié dans *Critique*, 1962-1963.

Du « Trieb » de Freud et du désir du psychanalyste, Rome, 1964.

La science et la vérité, Paris, ENS, 1965.

TÉLÉVISION, 1974.

SÉMINAIRES DE JACQUES LACAN (texte établi par J.-A. Miller) :

Livre XI, *Les quatre concepts fondamentaux de la psychanalyse*, 1973. (Postface 1973).

Livre XX, *Encore*, 1975.

Livre I, *Les écrits techniques de Freud*, 1975.

Livre II, *Le moi dans la théorie de Freud et dans la technique de la psychanalyse*, 1978.

DE LA PSYCHOSE PARANOÏAQUE DANS SES RAPPORTS AVEC LA PERSONNALITÉ, suivi de PREMIERS ÉCRITS SUR LA PARANOÏA, 1975. Il s'agit de la thèse de médecine de Lacan, initialement parue en 1932 chez Le François. A quoi s'ajoutent trois articles : « Écrits "inspirés" : schizographie », parus dans *Annales médico-pédagogiques* en 1931 ; « Le problème du style et la conception psychiatrique des formes paranoïaques de l'expérience », ainsi que « Motifs du crime paranoïaque, le crime des sœurs Papin », *in Le Minotaure*, 1933. (Réédition de cette revue, Skira-Flammarion 1980.)

Il existe par ailleurs de nombreuses communications, interventions, discussions faites par Jacques Lacan. On en trouvera une liste sans doute non exhaustive encore dans le numéro spécial du *Magazine littéraire*, consacré à Lacan, février 1977. *Stricto sensu*, la liste des textes dont Jacques Lacan a accepté la publication ou la republication aux éditions du Seuil, au titre de ses œuvres complètes, s'arrête là. On ajoutera cependant les articles suivants :

« La famille, le complexe, facteur concret de la pathologie familiale ; les complexes familiaux en pathologie », *Encyclopédie française*, Larousse, Paris, 1948, t. 8.

« Le Nombre treize et la forme logique de la suspicion », *Cahiers d'art*, 1945-1946.

« Maurice Merleau-Ponty », *Les Temps modernes*, 1961, n° 184-185.

« Hommage fait à Marguerite Duras du ravissement de Lol. V. Stein », *Cahiers Renaud-Barrault*, Gallimard, 1965, n° 52.

« Réponses à des étudiants en philosophie », *Cahiers pour l'Analyse*, 1966.

« Présentation de la traduction des *Mémoires d'un névropathe,* de D.P. Schreber, par Paul Duquenne », *Cahiers pour l'Analyse,* 1966.

Séminaire « *L'étourdi* », 1972, in *Scilicet,* Seuil, 1973.

Séminaire « *Ou pire* », *Scilicet,* Seuil, 1975.

« Conférences et entretiens dans des universités nord-américaines », *Scilicet,* Seuil, 1976.

« Radiophonie », transcription d'une émission de radio, *Scilicet,* 1970.

On n'oubliera pas les textes interstitiels écrits pour la publication des ÉCRITS (ou pour toute publication) notamment, en 1966 : *Ouverture de ce recueil, de nos antécédents, du sujet enfin en question, d'un syllabaire après coup.*

On pourrait gloser sans fin sur les textes pirates, précieuses paroles volées au maître — et à son éditeur. Le plus connu, que Lacan mentionne parfois, est le texte sur Goethe : « *Le mythe individuel du névrosé* ». Il circule, non revu par Jacques Lacan. Lui, et un certain nombre d'autres textes, qui ne bénéficient ni du label Lacan ni du label Miller. Se méfier des appellations non contrôlées. Mais enfin, Callas connut le même sort...

Enfin, il existe des textes sur l'histoire de la psychanalyse et son rapport à Lacan, dans la revue *Ornicar ?* (éd. Lyse) :

« La scission de 1953 », avec note liminaire de Lacan, 1976.

« L'excommunication », 1977.

« Après la dissolution », 1980. (No 20-21 : « L'Autre manque ».)

(Cette liste ne prétend nullement à l'exhaustivité ; elle relève d'un choix personnel en fonction des arguments développés dans ce livre.)

II. ŒUVRES AUTOUR DE JACQUES LACAN

a) Sur Lacan :

Livres :

JACQUES LACAN, thèse par Anika Rifflet-Lemaître, préfacée par Lacan, publiée en 1970 chez Dessart, Bruxelles.

J.B. Fages : COMPRENDRE JACQUES LACAN, Privat, 1971.

Jean-Michel Palmier : LACAN, Éditions universitaires, 1972.

Robert Georgin : LACAN, *Cahiers Cistre,* no 3, l'Age d'homme, 1977.

Angèle Kremer-Marietti : LACAN OU LA RHÉTORIQUE DE L'INCONSCIENT, Aubier-Montaigne, 1978.

Angelo Hesnard : DE FREUD À LACAN, ESF, 1971.

Philippe Lacoue-Labarthe et Jean-luc Nancy : LE TITRE DE LA LETTRE, Galilée.

Articles (souvent beaucoup plus importants que les livres) :

Louis Althusser : « Freud et Lacan », *La Nouvelle Critique,* 1964-1965, nos 161-162.

Jacques Derrida : « Le facteur de la vérité », publié initialement dans

Poétique 21, 1975, repris en 1980 dans LA CARTE POSTALE, de Socrate à Freud et au-delà.

Jean Reboul : « Jacques Lacan et les fondements de la psychanalyse », *Critique*, n° 187, déc. 1962.

Élisabeth Roudinesco : « Monsieur Pichon devant la famille », présentation du texte d'Édouard Pichon, « La famille devant M. Lacan », *(Revue française de psychanalyse*, 1939, t. XI, n° I) *in Cahiers Confrontation*, 3, *Les Machines analytiques*, printemps 80, éd. Aubier-Montaigne.

Catherine Backès : « Lacan ou le porte-parole », *in Critique*, n° 249.

Revues :
Magazine littéraire, 1977, n° 121.
L'Arc, Jacques Lacan, 1974, n° 58.

b) D'inspiration lacanienne :

On a délibérément écarté de cette liste très sélective des psychanalystes qui ont pensé seuls, et qui, fidèles à Lacan, n'en ont pas moins développé leur propre démarche, le plus souvent parce qu'elle existait avant leur rencontre avec lui. C'est le cas d'Octave Mannoni, de Pierre Kofmann et de Françoise Dolto, entre autres.

Maud Mannoni : LA THÉORIE COMME FICTION (Freud, Groddeck, Winnicott, Lacan), Seuil, coll. « le Champ freudien », 1979.
— L'ENFANT, SA « MALADIE » ET LES AUTRES, Seuil, 1967.
— LE PSYCHIATRE, SON FOU ET LA PSYCHANALYSE, Seuil, 1970.
— LE PREMIER RENDEZ-VOUS AVEC LE PSYCHANALYSTE, préface de F. Dolto, Denoël-Gonthier, 1965.

Pierre Legendre : L'AMOUR DU CENSEUR, essai sur l'ordre dogmatique, « le Champ freudien », 1974.

Serge Leclaire : PSYCHANALYSER, Seuil.
— DÉMASQUER LE RÉEL, Seuil.
— ON TUE UN ENFANT, Seuil.

Eugénie Lemoine-Luccioni : PARTAGE DES FEMMES, Seuil.
— LE RÊVE DU COSMONAUTE, 1980, Seuil.

Ginette Raimbault : MÉDECINS D'ENFANTS, Seuil.

Denis Vasse : L'OMBILIC ET LA VOIX, Seuil.
— UN PARMI D'AUTRES, 1978, Seuil.

Ouvrage collectif sur LE DÉSIR ET LA PERVERSION, Seuil.

La plupart de ces textes ont été publiés dans la collection « le Champ freudien », dirigée par Jacques Lacan. On ajoutera, de Guy Rosolato chez Gallimard, coll. « Connaissance de l'Inconscient » dirigée par J.-B. Pontalis, les ESSAIS SUR LE SYMBOLIQUE.

c) Textes discutant l'autorité de Lacan dans son école :

Daniel Sibony : LE GROUPE INCONSCIENT, Christian Bourgois, 1980.
François Roustang : UN DESTIN SI FUNESTE, éditions de Minuit, 1976.
... ELLE NE LE LÂCHE PLUS, éditions de Minuit, 1980.

d) Revues (depuis la fondation de l'École freudienne) :
Scilicet. (En sommeil ?)
Ornicar ?
L'Ordinaire du psychanalyste. (Arrêté volontairement.)
Delenda... (Bulletin ronéotypé pour la dissolution de l'École.)
Lettres de l'École freudienne. (Bulletin interne.)
Cahiers pour l'Analyse. (Disparus.)
Entre temps. (Bulletin contre la dissolution de l'École freudienne.)

e) Collection « Connexion du champ freudien » : elle héberge des philosophes (Alain Grosrichard, Gérard Miller) ou des linguistes (Jean-Claude Milner, Charles Méla) pour des livres utilisant très largement la théorie de Lacan. Sur le maréchal Pétain (Miller) ; sur la langue (Milner) ; sur le sérail ottoman (Grosrichard) ; sur la littérature médiévale (Méla) ; aux éditions du Seuil. Les livres issus de la revue et de la collection *Tel Quel* ont été souvent plus proches d'une inspiration lacanienne. Par exemple, la plupart des articles et des textes de Philippe Sollers, et le livre de Julia Kristeva, SÉMÉIOTIKÈ, Seuil, 1969.

f) Pamphlet. On fera une place à part, pour la part « symptomale » (c'est-à-dire historique) qu'il a prise à la résolution de ce livre, à l'essai de François George, L'EFFET 'YAU DE POÊLE DE LACAN ET DES LACANIENS, Hachette-Essais, 1980.

g) Sur Clérambault, le maître de Lacan :
LA PASSION DES ÉTOFFES CHEZ UN NEUROPSYCHIATRE, Solin.

III. OUVRAGES CITÉS DANS LE PRÉSENT LIVRE

Mary Barnes et Joseph Berke : MARY BARNES, UN VOYAGE À TRAVERS LA FOLIE, Seuil, 1973.
Georges Bataille : ŒUVRES COMPLÈTES, t. III, MADAME EDWARDA ; LE PETIT.
Pierre Bourdieu : GENÈSE ET STRUCTURE DU CHAMP RELIGIEUX, in *Revue française de sociologie*, 1971.
Pierre Clastres : RECHERCHES D'ANTHROPOLOGIE POLITIQUE, Seuil, 1980.
Jacques Derrida : LA CARTE POSTALE, Flammarion, 1980, coll. « la Philosophie en effet ».
Marcel Detienne : LES MAÎTRES DE VÉRITÉ DANS LA GRÈCE ARCHAÏQUE, préface de Pierre Vidal-Naquet, coll. « Textes à l'appui », 1967.
Mary Douglas : DE LA SOUILLURE, essais sur les notions de pollution et de tabou, préface de Luc de Heusch, Maspero, 1971.
F.G.W. Hegel : LA PHÉNOMÉNOLOGIE DE L'ESPRIT, t. I, trad. Jean Hyppolite, Aubier-Montaigne.
Mélanie Klein : ESSAIS DE PSYCHANALYSE, Payot.
Michel Foucault : LES MOTS ET LES CHOSES, Gallimard, 1966.

Sigmund Freud : MA VIE ET LA PSYCHANALYSE, « Idées », Gallimard.
— L'NTERPRÉTATION DES RÊVES, PUF.
— CINQ PSYCHANALYSES, PUF.
Claude Lévi-Strauss : ANTHROPOLOGIE STRUCTURALE UN ET DEUX, Plon.
— STRUCTURES ÉLÉMENTAIRES DE LA PARENTÉ, Mouton.
Edgar Poe : HISTOIRES EXTRAORDINAIRES.
Pseudo-Denys l'Aréopagite : ŒUVRES COMPLÈTES, trad. Maurice de Gan-
    dillac, Aubier.
Jean-Paul Sartre : SAINT GENET, COMÉDIEN ET MARTYR, Gallimard.
— L'IDIOT DE LA FAMILLE, Gallimard.
— CRITIQUE DE LA RAISON DIALECTIQUE, Gallimard.
Paul Ricœur : DE L'INTERPRÉTATION, essai sur Freud, Seuil, 1965.
D.W. Winnicott : JEU ET RÉALITÉ, L'ESPACE POTENTIEL, Gallimard, 1971.
Numéro spécial de *l'Ethnographie*, VOYAGES CHAMANIQUES, 1977, éd.
    Gabalda.
MOI, PIERRE RIVIÈRE, AYANT TUÉ MA MÈRE, MA SŒUR ET MON FRÈRE...,
    ouvrage collectif, coll. « Archives », Julliard.

TABLE DES MATIÈRES

ÉCOUTE BÛCHERON, ARRÊTE UN PEU LE BRAS 9

I. PLAISIRS D'AMOUR 13
    1. Printemps 1980, 13. — 2. Les séminaristes,
18. — 3. B.A. = BA, 29. — 4. L'obscure clarté
du christianisme, 33. — 5. Carence de la
culture, 42. — 6. Comédien et martyr, 50. — 7.
L'homme au squelette de fer, 55.

II. LE CHEMIN DES DAMES 58
    1. Du style, une fois de plus ; et de la folie des
femmes, 58. — 2. La bienheureuse Jacques
Lacan, 65. — 3. Le couple éternel du criminel
et de la sainte, 71. — 4. Petite digression
philosophique, 82. — 5. La pigeonne et le
frère de lait, 87. — 6. Entre l'homme et l'œuf,
98.

III. LA BOUCHÈRE NE VOULAIT PAS DE CAVIAR 104
    1. Drôle de drame, 104. — 2. Suspension de
séance, 112. — 3. Le Vieux de la mer, 115. — 4.
Le marketing de l'analyste, 121. — 5. Histoire
de la belle bouchère, et du désir de l'Autre,

125. — 6. Questions sans réponses et réponses
sans questions : Œdipe et Perceval, 132. — 7.
La jeune fille empaquetée, 137. — 8. La psychanalyse, une prophylaxie de la dépendance,
141.

IV. La marelle et les quatre coins 147
1. Intermède politique, 147. — 2. L'homme de
la vérité, 154. — 3. Le joueur, 160. — 4. Les
quatre coins, 164. — 5. La faillite des pères, et
tout ce qui s'ensuit, 169. — 6. La marelle, ou
l'ouvre-bouteille, 174. — 7. Du phallus au
mathème, 182. — 8. Odor di femmina, ou Don
Juan analyste, 187. — 9. La ravissante, 193.

L'oiseau de feu 197

Notes 205

Bibliographie 217

Composition réalisée par C.M.L., Montrouge

IMPRIMÉ EN FRANCE PAR BRODARD ET TAUPIN
7, bd Romain-Rolland - Montrouge - Usine de La Flèche.
Librairie Générale Française - 14, rue de l'Ancienne-Comédie - Paris.

ISBN : 2 - 253 - 03338 - 3   ✛ 42/4013/1